SARRASINE

HONORÉ DE BALZAC

Sarrasine

Présentation et notes par Éric Bordas

LE LIVRE DE POCHE

Éric Bordas est maître de conférences à l'Université Paris III-Sorbonne nouvelle. Il a récemment publié *Balzac, discours et détours. Pour une stylistique de l'énonciation romanesque* (Toulouse, PUM, 1997) et édité pour Le Livre de Poche *La Recherche de l'Absolu*.

INTRODUCTION

« ... l'apparition d'un personnage étrange. C'était un homme. »

Quand Balzac publie *Sarrasine*, en deux livraisons, les 21 et 28 novembre 1830 dans la *Revue de Paris*, il n'est pas encore l'auteur de l'imposante *Comédie humaine*, ce cycle romanesque de plusieurs dizaines de titres célèbres, organisé en « études » et en « scènes » et dont les acteurs reviennent d'un récit à l'autre : l'idée même lui en est sans doute, à ce moment, étrangère ; il n'est pas non plus l'auteur de la très célèbre *Peau de chagrin*, qui sera le grand succès de librairie de l'année suivante. Il est l'auteur de lointains « romans de jeunesse » publiés sous pseudonymes et dont il ne veut plus – pour l'instant – entendre parler, d'une satirique *Physiologie du mariage*, qui amusa ou choqua quelque peu un public incertain, d'un roman historique ambitieux, *Le Dernier Chouan ou la Bretagne en 1800*, qui passa totalement inaperçu, et d'une série de courtes *Scènes de la vie privée* qui viennent tout juste de révéler un écrivain intimiste, attentif aux souffrances inconnues des femmes malheureuses. Mais, à côté de ces ouvrages, en 1830 Balzac est surtout le signataire, avoué ou non, de plusieurs dizaines de textes publiés dans des revues parisiennes : brefs récits,

comptes rendus de livres à succès, enquêtes sur
« l'état actuel de la librairie », analyses ironiques des
« mots à la mode », ou encore courts fragments nar-
ratifs ou descriptifs croquant des silhouettes fami-
lières, « épicier » ou « grisette ». En 1830 Balzac est
d'abord un journaliste[1].

Sarrasine, comme *El Verdugo, Une passion dans
le désert* ou *L'Élixir de longue vie*, et à la différence
de *La Vendetta* ou de *Gloire et malheur* par exemple, édités directement en volume[2], fait partie de ces
textes écrits pour des publications hebdomadaires,
répondant à des commandes plus ou moins précises,
ou tout au moins à des demandes. Il faut s'en souvenir pour savoir lire ce court récit, dont l'imaginaire
ambigu a fasciné et fascine encore régulièrement de
très illustres lecteurs[3]. *Sarrasine* fut donc publié
dans la *Revue de Paris* en novembre 1830. Il s'agit
d'une toute jeune revue, fondée en avril 1829 par un
homme haut en couleur, le docteur Véron, mélange
de bon sens et de malice, de finesse et de vulgarité.
De contenu et d'orientation résolument littéraires, la
Revue de Paris se consacra à la diffusion et à la
connaissance des auteurs contemporains, français ou
étrangers. Ainsi, elle fit beaucoup pour la gloire
d'Hoffmann, mort depuis 1822, mais dont les contes,
régulièrement traduits par Loève-Veimars, commen-

---

1. Voir la somme de R. Chollet, *Balzac journaliste. Le tournant
de 1830* (*cf. infra*, Indications bibliographiques).   **2.** Ce dernier
titre deviendra, plus tard, *La Maison du chat-qui-pelote, incipit* de
La Comédie humaine alors inventée.   **3.** Un des premiers à avoir
attiré l'attention sur l'originalité de *Sarrasine*, quelque peu oublié
jusqu'alors, fut G. Bataille (« Avant-propos », *in* Bataille, *Le Bleu du
ciel*, Paris, Pauvert, 1957). Pour le reste, voir les études de R. Barthes,
de M. Serres (*cf. infra*, Indications bibliographiques). L'ouvrage de
Barthes, *S/Z* (1970), analyse structurale de *Sarrasine*, a suscité souvent plus de commentaires sur Barthes lui-même et sur la « nouvelle
critique » que sur Balzac ; voir les travaux de P. Barbéris, de Cl. Brémond et Th. Pavel (*cf. infra*, Indications bibliographiques).

çaient à fasciner les lecteurs parisiens. Faut-il reconnaître à cette autorité « fantastique », qui consacrait
la naissance et le succès de la revue, une influence
sur l'écriture balzacienne des textes publiés alors ?
C'est vraisemblable. Bien des éléments de l'imaginaire de *Sarrasine* se rattachent à la thématique des
Contes nocturnes ou des *Fantaisies dans la manière
de Callot* : l'opéra, l'Italie, les amours étranges, les
vieillards fantomatiques, etc. Mais il est également
évident que, à partir de cette base aux repères d'ailleurs assez lâches, Balzac a su, dès cette époque et
dans ces productions très contraintes, sinon inventer
une poétique de la narration vraiment originale, du
moins proposer des fictions dont la force romanesque excède largement les strictes limites de
l'anecdote sémillante.

Car c'est bien le récit d'une anecdote sémillante
dont raffolent les lecteurs des revues parisiennes.
Les commandes doivent répondre à ce double objec-
tif : faire court, c'est-à-dire ne pas se perdre dans
des détails, en particulier descriptifs, qui assomment
ce public pressé, qui feuillette plus qu'il ne lit et qui
veut tous les jours du nouveau, et faire fort, c'est-à-
dire savoir inventer des fictions, des histoires frap-
pantes, à l'intérêt immédiat, percutant. Un écrivain
comme Prosper Mérimée sut tout de suite, à cette
même époque et dans les mêmes conditions, trouver
là la vérité de son style et donner l'étendue de son
talent. Balzac eut parfois plus de mal à s'adapter, en
particulier à la première exigence : une comparaison
entre les premières *Scènes de la vie privée*, pourtant
elles aussi assez brèves, et *Sarrasine* ou *El Verdugo*
ne peut pas ne pas révéler une différence de traitement dans l'écriture des décors, par exemple – différence de présence plus que de volume, d'ailleurs.
Mais en revanche la sollicitation des zones les plus

excitantes, les plus risquées, de la représentation romanesque s'offrait à lui comme un défi à relever. Il le releva, et son audace se heurta alors à l'hypocrite corollaire de la demande : ne pas effaroucher le public, qui paie, ce qui donne bien des droits. Les patrons de la *Revue de Paris*, de *La Mode* ou de la *Revue des Deux Mondes*, Véron, Pichot ou Rabou, ne cessent de rappeler à la décence un jeune auteur (trente et un ans) qui s'emballe un peu trop : certes le public veut du sémillant, de l'anecdotique, du piquant, mais il lui faut les formes, au moins équivoques, qui permettent, éventuellement, de faire semblant de ne pas avoir (tout) compris. Autrement dit : du piquant romanesque, mais voilé, stylistiquement *gazé*.

Or, la gaze stylistique, ce n'est pas vraiment ce qu'aima jamais Balzac. Non qu'il fasse nécessairement dans l'explicite : il connaît les ressources poétiques du suggéré, et son interrogation équivoque. Mais c'est plutôt la sincérité du traitement du discours, du don de la fiction, qui lui impose d'envisager jusqu'au bout les conséquences d'un récit offert. Car on ne raconte pas n'importe quoi à n'importe qui n'importe comment. Toute énonciation a sa responsabilité. Même la rapide narration d'une nouvelle mondaine dans une revue de la capitale. C'est ainsi que Balzac écrivit et offrit *Sarrasine*. Lisons bien le texte, et surtout mettons-le en parallèle avec d'autres récits voisins : *Une passion dans le désert, Un prince de la bohème*, mais aussi *Le Lys dans la vallée*, de rapprochement plus inattendu[1]. Un homme raconte à une jeune femme, pour lui plaire, pour la séduire et obtenir d'elle des faveurs très précises, un récit qu'elle a réclamé. Il la prévient que l'histoire sera

---

1. *Autre étude de femme* également, mais dans des perspectives très différentes.

terrible : c'est précisément ce qu'elle attend, nonobstant quelques minauderies obligées. Le récit donné, la femme se refuse, se retranche, crie à l'ignominie, dit son dégoût, sa déception de savoir que des choses pareilles existent, et reste finalement, à tout le moins, « pensive » sur ses illusions soi-disant perdues.

On n'aura pas grand mal à retrouver là le portrait à peine transposé de Balzac écrivain de revues, de Balzac auteur de *Sarrasine*. Le public des revues littéraires était majoritairement féminin, et majoritairement issu des classes cultivées, bourgeoisie ou aristocratie. C'est un public que Balzac veut séduire et posséder, faire sien, lui l'homme spécialisé dans les peines de cœur des femmes de trente ans. Donc, on lui donne ce qu'il attend : on en est remercié de la façon que l'on sait.

On voit que Balzac propose là la fiction de sa propre production. C'est pourquoi la composition est si déterminante dans la poétique de *Sarrasine* et des autres récits publiés en revues. La narration de l'histoire-cadre (récit 1), histoire du narrateur anonyme et de son interlocutrice, dont les variations d'identité d'une réédition à l'autre disent assez l'importance de son statut d'héroïne à part entière[1], est tout aussi longue et développée, soignée, que la narration de l'histoire-don (récit 2), histoire du sculpteur Sarrasine et de la Zambinella. Que l'imaginaire, certes plus flamboyant, plus « romanesque » en apparence, de l'histoire italienne n'occulte pas le fait que ce bref récit n'est qu'une étape à l'intérieur d'un récit général, qui reste l'histoire d'une séduction, d'une volonté de possession. Comme la marquise, la lectrice des revues voulait du sémillant, on lui donne

---

1. Voir Note sur le texte de la présente édition.

du sémillant. Cela lui déplaît. Reste à comprendre pourquoi.

Sur ce point *Sarrasine* va beaucoup plus loin que n'importe quel autre récit de Balzac – à l'exception, bien sûr, du *Lys dans la vallée*, avec la terrible lettre finale de Natalie de Manerville, qui désécrit, purement et simplement, tout ce qui vient d'être avancé. L'histoire du contresens sexuel du sculpteur Sarrasine – qui n'est peut-être que le renversement logique d'une vérité elle-même inversée – et l'histoire de ce monstrueux phénomène esthétique et historique bien connu (l'existence des castrats[1]) qu'incarne la personne de la Zambinella avaient-elles vraiment de quoi provoquer le rejet sans appel de l'interlocutrice ? Pruderie ou angoisse ? Qu'a-t-elle donc aperçu, entrevu, la marquise (la lectrice ?), qui lui déplaise si fort ? Après tout, certains contes d'Hoffmann, précisément, brodaient déjà sur les mêmes motifs, et quelques nouvelles de Mérimée n'étaient pas plus univoques. Pourquoi Balzac a-t-il inscrit l'échec de son histoire italienne dans l'histoire parisienne, faisant de cet élément la grande originalité d'un récit, d'une thématique par ailleurs assez proche de ce qui était dans l'air du temps[2] ? Masochisme d'auteur complaisant qui subit parfois à contrecœur la contrainte des directeurs et le terrorisme du verdict du public ? Peut-être, mais peut-être aussi comprend-il déjà que bien des vérités ne s'énoncent jamais qu'en dépit de (et contre) celui qui parle (ou écrit). En fait, l'explication de la réaction finale de madame de Rochefide avait été anticipée lors de l'échange du pacte entre les deux

---

1. Voir Annexe, p. 87.   2. Voir l'ouvrage de P. Laforgue (*cf. infra*, Indications bibliographiques), qui, au-delà d'une lecture ponctuelle de *Sarrasine*, propose une analyse synthétique des récits consacrés aux amours pathologiques autour de 1830.

interlocuteurs : « Vous voulez que je ne sois pas *moi* », lance-t-elle à son soupirant trop empressé. Zambinella dit presque la même chose à Sarrasine. Destin de « femmes » ? Seulement voilà : Zambinella n'est pas une femme. Inconscient (?), le narrateur a proposé à son interlocutrice une fiction qui dit très nettement l'arrogance du désir masculin, et ses impératifs existentiels sans appel : triste perspective. Qui plus est, la démonstration est conduite autour d'une création – sinon une créature – qui rend l'identification de l'objet féminin tout à fait scabreuse. Le narrateur a donc accumulé les maladresses, et comme programmé l'échec de sa séduction dans le montage de son texte.

Car dans *Sarrasine* personne ne comprend rien à rien. À commencer par Sarrasine lui-même. Son imprécation finale à Zambinella le dit assez : « Monstre ! toi qui ne peux donner vie à rien, tu m'as dépeuplé la terre de toutes ses femmes. » Tel est *le* contresens central du livre : celui de Sarrasine donc, désespéré, et dont l'assassinat immédiat est une forme de suicide ; celui de la marquise de Rochefide qui adopte aussitôt le même point de vue : « Vous m'avez dégoûtée de la vie et des passions pour longtemps », dit-elle au narrateur, qui retrouve ici, malgré lui, le rôle révélateur de Zambinella – les distributions masculin/féminin sont, on le voit, de logique fragile. Mais ce que Sarrasine et Béatrix ne comprennent pas, c'est que la Zambinella, individualité contre-nature, « monstre » malheureux, est, très exactement, « plus qu'une femme » : « un chef-d'œuvre ». « Tu n'es rien », lance le sculpteur à la créature. Elle est *tout*, au contraire, union absolue des impossibles. Elle est la seule logique en accord avec elle-même dans ce monde fondamentalement *oxymorique* : voir les premières lignes du récit, avec les descriptions du salon et des arbres dans la nuit, et ces oppositions schématiques vie/mort, hommes/ femmes, connu/inconnu, ombre/lumière – « ah ! c'était bien la mort et la vie ».

Erreur de Sarrasine : Zambinella, par son chant, mélange de matérialité précise (timbre de la voix, grain, couleur, notes, contrôle du souffle) et d'ineffable, d'impalpable, de volatil, peut, au contraire de ce qu'il lui dit, donner vie à tout, et, par sa poésie, peupler la terre des idéaux que la terre rend impossibles. « Oui, les âmes pures ont une patrie dans le ciel ! », déclare la marquise : la perfection *inhumaine* du chant de Zambinella, créature corrompue et angélique à la fois, laisse entrevoir ce paradis. Sarrasine s'en approche, puis s'en écarte en devinant l'*échange* que tout amour exige. C'est là une épreuve que l'initiation romaine de l'artiste refuse : échec.

Contresens de Sarrasine et de la marquise, donc. Car la voix de la Zambinella est un authentique chef-d'œuvre, artificiel, certes, mais productif de volupté, de vérité. Peut-on dire d'elle ce que dit Montriveau de la duchesse de Langeais, morte : « Ce n'est plus qu'un poème »[1] ? Sans doute, car les supports esthétiques se modifient, mais les gestes de conservation perdurent. Et c'est là que le raccord du récit 2 (histoire de Sarrasine) dans le récit 1 (histoire de la fortune des Lanty) peut donner prise à un autre contresens. Savamment préparé par Balzac. L'erreur, en effet, serait de confondre l'affreux petit vieillard à la silhouette hoffmannesque du début et la Zambinella. Bien sûr, il s'agit du même personnage : le chanteur a vieilli, il a perdu sa voix, sa beauté ambi-

---

1. Balzac, *La Duchesse de Langeais*, Le Livre de Poche, 1998, p. 128.

valente, il n'a conservé que son or, qu'il donne à sa famille, et son amour de l'art vocal, qu'il partage avec sa petite-nièce. Mais, *poétiquement*, il n'est plus la Zambinella, ne serait-ce que parce qu'il semble avoir acquis un sexe masculin. Certes, on souligne son étrangeté, sa petite voix, on décline, en insistant sur son maquillage, le paradigme du féminin, mais sa désignation grammaticale reste masculine (voir son « apparition » initiale : « C'était un homme ») – sauf quand le narrateur parle de « cette créature sans nom dans le langage humain », énoncé qui se révélera donc faux avec l'explication italienne, mais nous sommes alors dans une autre *histoire*.

La Zambinella est éternelle, et elle règne sur l'hôtel des Lanty, dans tout l'éclat de son prestige, *figure* hors référence, et non trivial personnage : il faut regarder l'*Adonis* de Vien, en retraçant la généalogie du désir qui l'irise. La statue de son idole, statue de *femme*, réalisée par un Sarrasine passionné, fut placée dans le musée Albani, puis copiée en peinture par Vien qui en fit donc cette toile à la demande de la famille, transformant au passage la femme en Adonis, divinité à visage masculin. Le modèle en est « trop beau pour un homme », remarque la marquise, énonçant comme toujours la vérité sans la connaître. Enfin, accomplissement esthétique et identitaire du fantasme initial, le même modèle servit « plus tard pour l'*Endymion* de Girodet », beauté ambiguë par définition[1]. C'est là qu'*est* Zambinella, créature de la beauté, sacrifiée et magnifiée sur l'autel de tous

---

1. Balzac a voulu tous ces détours, qu'il accentue encore dans l'édition de 1844 en attribuant, par une brève substitution de noms, l'Adonis à Vien : auparavant, il était signé Girodet, ce qui réduisait le transfert d'une étape (*cf.* Note sur le texte de la présente édition).

les narcissismes, de tous les égoïsmes. L'affreux vieillard le sait bien, du reste, lui qui tente pathétiquement de *se peindre* encore avec ses fards : à son contact, la lumière des bougies découvre « une peinture très bien exécutée ». Avec la toile authentique de Girodet, très aimée de Balzac, le réel rejoint la fiction[1]. La disparition de Zambinella en tant que sujet va de pair avec sa réapparition-transfiguration en tant qu'objet esthétisable, au même moment, exactement, où ses semblables se taisent pour laisser la scène à des chanteurs d'une identité vocale plus simple, mais qui ont désormais pour rude mission, toujours rappelée par les passéistes, de chercher à faire revivre ce qu'ils contribuent à enterrer[2]. Là aussi, le regard balzacien est de type archéologique.

C'est pourquoi une opposition simpliste entre les textes « réalistes » de Balzac – façon *Illusions perdues* – et les textes « fantastiques », au sens de repoussoir de ce soi-disant réalisme, ne résiste pas à une minute de réflexion. L'histoire parisienne de *Sarrasine* n'est pas datée : tout laisse à penser que nous sommes sous la Restauration (allusions à *Tancredi*, à la Malibran, etc.), mais le récit est publié à l'automne 1830, soit très peu de temps après les événements de Juillet, qui devaient entériner compromissions et déceptions idéologiques. Or, dès 1835, *Sarrasine*, cette nouvelle pour revue, quitta son statut de *conte philosophique* démonstratif, que lui avait valu une édition en 1831, pour être publié et rangé dans les *Études de mœurs* des *Scènes de la vie parisienne*, fictions au contexte historique précis toujours déterminant, fictions réalistes. Dans ce cadre général, la fascination pour la figure d'un être

---

1. Voir le catalogue de l'exposition de Tours (1999), *Balzac et la peinture*.   **2.** Voir Annexe.

comme Zambinella, donateur d'une fortune sur l'origine de laquelle tout le monde s'interroge, mais que chacun respecte, prend une terrible valeur. Elle renvoie, pour cette société en mal d'elle-même, un étrange regard, en miroir à deux faces : d'un côté, celui d'une impuissance qui n'a plus qu'à s'écouter mourir, en tentant d'obtenir que son chant, du moins, soit noble ; de l'autre, celui d'une origine sans généalogie – les êtres comme Zambinella peuvent donner des fortunes, non des enfants. Comme *Armance* de Stendhal (1827), *Aloys* de Custine ou *Fragoletta* de Latouche (tous les deux de 1829), le bref récit de Balzac choisit le discours de la chose « sans nom » (*i. e.* l'identité sexuelle, mais aussi la beauté), pour dire la *fable* du Politique. Ce monde qui réunit les contraires, les oppositions et les contradictions, en « une macédoine morale, moitié plaisante, moitié funèbre », est construit sur les restes palpitants d'un oxymore encore vivant, mais plus chantant.

Texte de tous les contresens, *Sarrasine* organise avec une belle intelligence le retournement du manque en plénitude. À cette perte de certitudes, sémantiques et sensuelles, qui menace sculpteurs et marquises, répond la générosité d'un romanesque sémillant, coloré et enchanteur, terrifiant aussi, à l'image des décors et costumes des Parisiens, un romanesque qui peut encore faire rêver avec le portrait de madame de Lanty par exemple. Personne n'est dupe, ni le narrateur, ni le lecteur : un certain mode de récit est définitivement mutilé d'une *légitimité* sans remords. Mais cette mutilation, comme celle de Zambinella, nourrit précisément la richesse d'une prose et d'un imaginaire qui font du manque fondateur une force constructive, une énergie. Non sans nostalgie, bien sûr. C'est une « histoire assez connue en Italie », conclut le narrateur, se dispensant bien de nous expliquer par qui et comment il a appris ce qui était pourtant présenté au début comme un impénétrable secret : seule demeure l'évidence du *romanesque* et son prestige ambigu. *Sarrasine* pourrait bien être la « tristesse d'Olympio » d'un certain imaginaire du roman.

Éric BORDAS

NOTE SUR LE TEXTE DE LA PRÉSENTE ÉDITION

L'histoire du texte de *Sarrasine* se limite à la série de ses publications et éditions, Balzac ne mentionnant nulle part quoi que ce soit à propos de sa rédaction. Le manuscrit n'a pas été conservé, les épreuves non plus. En revanche, d'une parution à l'autre, le texte a subi de profondes rectifications, dont la connaissance est essentielle à sa compréhension. En voici un rapide résumé.

1. Publication préoriginale : la *Revue de Paris*, 21 et 28 novembre 1830.
2. Première édition : *in* Balzac, *Romans et contes philosophiques* (seconde édition), Paris, Gosselin, 1831 ; *Sarrasine* est inséré au tome 2, après *La Peau de chagrin* – une réédition eut lieu en 1833.
3. *In* Balzac, *Études de mœurs au XIX*e *siècle*, Paris, Béchet, 1835 ; *Sarrasine* est au tome 12, dans les *Scènes de la vie parisienne*.
4. *In* Balzac, *La Comédie humaine*, Paris, Furne, 1844 ; *Sarrasine* est au tome 10.

En 1 et 2, le texte de *Sarrasine* se présentait, sans dédicace, divisé en deux chapitres : « I Les deux portraits », « II Une passion d'artiste ». Le premier chapitre s'ouvrait sur l'épigraphe suivante : « Croyez-vous que l'Allemagne ait seule le privilège d'être absurde et fantastique ? » ; l'épigraphe du second était : « Les femmes soupçonnent-elles la force d'une vraie passion dans un cœur d'homme ? » L'érudition n'est pas parvenue, à ce jour, à identifier l'origine exacte de ces citations, que l'on tend à attribuer à Balzac lui-même (voir l'édition critique de P. Citron, p. 1544) ; à juste titre, sans doute, P. Brunel (voir son édition, p. 286) y voit, pour la première, une allusion aux contes d'Hoffmann, qui avaient en 1830 beaucoup de succès. En 3, les épigraphes sont supprimées, ainsi que les numéros de chapitre, mais les titres subsistent. En 4, comme presque toujours dans l'édition Furne, pour gagner de la place, tout est coupé, épigraphe, titres et division en chapitres ; en revanche, Balzac insère une dédicace. Il y eut d'autres éditions ou rééditions du vivant de Balzac (Charpentier, 1839, par exemple), mais sans innovation notable par rapport à ces quatre repères chronologiques.

Enfin, il est important de savoir que, à l'occasion de ces éditions successives, Balzac apporta chaque fois des modifications capitales. L'exemple le plus déterminant est celui de l'identité de la jeune femme à qui le narrateur raconte l'histoire de Sarrasine : « Comtesse de *** » en 1 et 2, elle devient la « Fœdora » de *La Peau de chagrin* en 3, puis « Béatrix de Rochefide » à partir de 4. Ce n'est pas le seul : le tableau d'Adonis, dans l'hôtel des Lanty, était, en 1830, attribué à Girodet, Jomelli remplace Paesiello, des personnages très célèbres de *La Comédie humaine* viennent investir ce texte d'avant *La Comédie humaine*, etc.

C'est le texte de l'édition 4 que nous reproduisons, en intégrant l'unique correction manuscrite laissée par Balzac sur son exemplaire personnel (dit « Furne corrigé »), signalée en note, et sans nous autoriser certaines libertés des éditions modernes dans les abréviations (comme « M. » au lieu de « monsieur », usage que Balzac n'aimait pas).

SARRASINE

Balzac, par Louis Boulanger.

© Photothèque des musées

À MONSIEUR CHARLES DE BERNARD DU GRAIL [1]

J'étais plongé dans une de ces rêveries profondes qui saisissent tout le monde, même un homme frivole, au sein des fêtes les plus tumultueuses. Minuit venait de sonner à l'horloge de l'Élysée-Bourbon [2]. Assis dans l'embrasure d'une fenêtre, et caché sous les plis onduleux d'un rideau de moire, je pouvais contempler à mon aise le jardin de l'hôtel où je passais la soirée. Les arbres, imparfaitement couverts de neige, se détachaient faiblement du fond grisâtre que formait un ciel nuageux, à peine blanchi par la lune. Vus au sein de cette atmosphère fantastique, ils ressemblaient vaguement à des spectres mal enveloppés de leurs linceuls, image gigantesque de la fameuse *danse des morts* [3]. Puis, en me retournant de l'autre côté, je pouvais admirer la danse des vivants ! un salon splendide, aux parois d'argent et d'or, aux lustres étincelants, brillant de bougies. Là, fourmillaient, s'agitaient et papillonnaient les plus jolies femmes de Paris, les plus riches, les mieux titrées, éclatantes, pompeuses, éblouissantes de diamants !

1. Journaliste franc-comtois (1804-1850) : il fit, notamment, un compte rendu de *La Peau de chagrin* en 1831. La dédicace date de 1844. **2.** Actuel Palais de l'Élysée. Construit en 1718, il s'appela d'abord « Hôtel d'Évreux » ; acquis en 1788 par la duchesse de Bourbon, il fut alors désigné comme « Élysée-Bourbon », du fait de la proximité avec la célèbre avenue. **3.** Représentation allégorique où toutes les conditions humaines dansent autour d'une Mort personnifiée. C'est le sujet (et le titre) d'une célèbre peinture de Holbein, réalisée à l'occasion d'une épidémie de peste (1431).

des fleurs sur la tête, sur le sein, dans les cheveux, semées sur les robes, ou en guirlandes à leurs pieds. C'était de légers frémissements de joie, des pas voluptueux qui faisaient rouler les dentelles, les blondes [1], la mousseline autour de leurs flancs délicats. Quelques regards trop vifs perçaient çà et là, éclipsaient les lumières, le feu des diamants, et animaient encore des cœurs trop ardents. On surprenait aussi des airs de tête significatifs pour les amants, et des attitudes négatives pour les maris. Les éclats de voix des joueurs, à chaque coup imprévu, le retentissement de l'or se mêlaient à la musique, au murmure des conversations ; pour achever d'étourdir cette foule enivrée par tout ce que le monde peut offrir de séductions, une vapeur de parfums et l'ivresse générale agissaient sur les imaginations affolées. Ainsi, à ma droite, la sombre et silencieuse image de la mort ; à ma gauche, les décentes bacchanales de la vie : ici, la nature froide, morne, en deuil ; là, les hommes en joie. Moi, sur la frontière de ces deux tableaux si disparates, qui, mille fois répétés de diverses manières, rendent Paris la ville la plus amusante du monde et la plus philosophique, je faisais une macédoine morale, moitié plaisante, moitié funèbre. Du pied gauche je marquais la mesure, et je croyais avoir l'autre dans un cercueil. Ma jambe était en effet glacée par un de ces vents coulis [2] qui vous gèlent une moitié du corps tandis que l'autre éprouve la chaleur moite des salons, accident assez fréquent au bal.

« Il n'y a pas fort longtemps que monsieur de Lanty possède cet hôtel ?

---

1. Dentelles de soie.   **2.** Vent qui se glisse par les ouvertures, courant d'air.

— Si fait. Voici bientôt dix ans que le maréchal de Carigliano le lui a vendu...

— Ah !

— Ces gens-là doivent avoir une fortune immense ?

— Mais il le faut bien.

— Quelle fête ! Elle est d'un luxe insolent.

— Les croyez-vous aussi riches que le sont monsieur de Nucingen ou monsieur de Gondreville[1] ?

— Mais vous ne savez donc pas ? »

J'avançai la tête et reconnus les deux interlocuteurs pour appartenir à cette gent[2] curieuse qui, à Paris, s'occupe exclusivement des *Pourquoi ?* des *Comment ? D'où vient-il ? Qui sont-ils ? Qu'y a-t-il ? Qu'a-t-elle fait ?* Ils se mirent à parler bas, et s'éloignèrent pour aller causer plus à l'aise sur quelque canapé solitaire. Jamais mine plus féconde ne s'était ouverte aux chercheurs de mystères. Personne ne savait de quel pays venait la famille de Lanty, ni de quel commerce, de quelle spoliation, de quelle piraterie ou de quel héritage provenait une fortune estimée à plusieurs millions. Tous les membres de cette famille parlaient l'italien, le français, l'espagnol, l'anglais et l'allemand, avec assez de perfection pour faire supposer qu'ils avaient dû longtemps séjourner parmi ces différents peuples. Étaient-ce des bohémiens ? étaient-ce des flibustiers ?

---

1. Deux personnages célèbres de *La Comédie humaine* : tout comme pour « le maréchal de Carigliano » quelques lignes plus haut, cette désignation est un ajout des éditions postérieures à celle de 1830, date à laquelle ils n'avaient pas encore été inventés, pour renforcer la cohésion générale de l'ensemble romanesque (le texte original indiquait « monsieur Roy » et « monsieur d'Aligre », Carigliano était le « maréchal S. »). Nucingen est un banquier richissime (voir *Le Père Goriot*), Gondreville un homme d'État très en vue (voir *Une ténébreuse affaire*) ; Carigliano vient de *La Maison du chat-qui-pelote*. **2.** Cette race (emploi déjà vieilli).

« Quand ce serait le diable ! disaient de jeunes politiques [1], ils reçoivent à merveille. »

« Le comte de Lanty eût-il dévalisé quelque *Casauba* [2], j'épouserais bien sa fille ! » s'écriait un philosophe.

Qui n'aurait épousé Marianina, jeune fille de seize ans, dont la beauté réalisait les fabuleuses conceptions des poètes orientaux ? Comme la fille du sultan dans le conte de *La Lampe merveilleuse*, elle aurait dû rester voilée [3]. Son chant faisait pâlir les talents incomplets des Malibran, des Sontag, des Fodor, chez lesquelles une qualité dominante a toujours exclu la perfection de l'ensemble [4] ; tandis que Marianina savait unir au même degré la pureté du son, la sensibilité, la justesse du mouvement et des intonations, l'âme et la science, la correction et le sentiment. Cette fille était le type de cette poésie secrète, lien commun de tous les arts, et qui fuit toujours ceux qui la cherchent. Douce et modeste, instruite et spirituelle, rien ne pouvait éclipser Marianina si ce n'était sa mère.

Avez-vous jamais rencontré de ces femmes dont la beauté foudroyante défie les atteintes de l'âge, et

---

1. L'emploi substantif de l'adjectif désigne, par métonymie, un homme de gouvernement, ou, plus largement, tout homme habile et opportuniste, qui sait s'adapter aux situations. **2.** Ancienne orthographe pour « casbah », palais d'un prince oriental. **3.** Allusion à un des contes les plus célèbres des *Mille et Une Nuits* : « Aladin ou la lampe merveilleuse ». **4.** Trois illustres cantatrices. María Malibran (1808-1836) reste, aujourd'hui encore, le modèle de la *diva* romantique adulée (voir Musset), célèbre pour son engagement émotif ; Henriette Sontag (1808-1854) avait une voix particulièrement pure et des aigus aériens, à en croire Berlioz ; Joséphine Mainvielle-Fodor (1793-1870) était vantée pour son agilité et le goût de ses ornements vocaux. Parmi les témoignages les plus partiaux, mais les plus passionnants, sur l'histoire du chant à cette époque, on lira, de Stendhal, la *Vie de Rossini* (1823), et de Berlioz, les feuilletons de « critique musicale », textes aujourd'hui scrupuleusement édités.

qui semblent à trente-six ans plus désirables qu'elles ne devaient l'être quinze ans plus tôt ? Leur visage est une âme passionnée, il étincelle ; chaque trait y brille d'intelligence ; chaque pore possède un éclat particulier, surtout aux lumières. Leurs yeux séduisants attirent, refusent, parlent ou se taisent ; leur démarche est innocemment savante ; leur voix déploie les mélodieuses richesses des tons les plus coquettement doux et tendres. Fondés sur des comparaisons, leurs éloges caressent l'amour-propre le plus chatouilleux. Un mouvement de leurs sourcils, le moindre jeu de l'œil, leur lèvre qui se fronce, impriment une sorte de terreur à ceux qui font dépendre d'elles leur vie et leur bonheur. Inexpériente[1] de l'amour et docile au discours, une jeune fille peut se laisser séduire ; mais pour ces sortes de femmes, un homme doit savoir, comme monsieur de Jaucourt, ne pas crier quand, en se cachant au fond d'un cabinet, la femme de chambre lui brise deux doigts dans la jointure d'une porte[2]. Aimer ces puissantes sirènes, n'est-ce pas jouer sa vie ? Et voilà pourquoi peut-être les aimons-nous si passionnément ! Telle était la comtesse de Lanty.

Filippo, frère de Marianina, tenait, comme sa sœur, de la beauté merveilleuse de la comtesse. Pour tout dire en un mot, ce jeune homme était une image vivante de l'Antinoüs[3], avec des formes plus grêles. Mais comme ces maigres et délicates proportions s'allient bien à la jeunesse quand un teint olivâtre, des sourcils vigoureux et le feu d'un œil velouté pro-

---

1. Sans expérience. Cet adjectif est un néologisme, ignoré de tous les dictionnaires du XIXᵉ siècle – le *Trésor de la langue française (TLF)* le mentionne comme une « rareté ». 2. Anecdote authentique : le marquis de Jaucourt (1757-1852) sauva ainsi l'honneur de sa maîtresse. 3. Jeune homme d'une beauté efféminée, favori de l'empereur romain Hadrien (117-138).

mettent pour l'avenir des passions mâles, des idées généreuses ! Si Filippo restait, dans tous les cœurs de jeunes filles, comme un type [1], il demeurait également, dans le souvenir de toutes les mères, comme le meilleur parti de France.

La beauté, la fortune, l'esprit, les grâces de ces deux enfants venaient uniquement de leur mère. Le comte de Lanty était petit, laid et grêlé ; sombre comme un Espagnol, ennuyeux comme un banquier. Il passait d'ailleurs pour un profond politique, peut-être parce qu'il riait rarement, et citait toujours monsieur de Metternich ou Wellington [2].

Cette mystérieuse famille avait tout l'attrait d'un poème de lord Byron, dont les difficultés étaient traduites d'une manière différente par chaque personne du beau monde : un chant obscur et sublime de strophe en strophe [3]. La réserve que monsieur et madame de Lanty gardaient sur leur origine, sur leur existence passée et sur leurs relations avec les quatre parties du monde n'eût pas été longtemps un sujet d'étonnement à Paris. En nul pays peut-être l'axiome de Vespasien n'est mieux compris [4]. Là, les écus même tachés de sang ou de boue ne trahissent rien et représentent tout. Pourvu que la haute société sache le chiffre de votre fortune, vous êtes classé parmi les sommes qui vous sont égales, et personne ne vous demande à voir vos parchemins, parce que tout le monde sait combien peu ils coûtent. Dans une

---

1. Un modèle, un archétype.   **2.** Klemens Metternich (1773-1859) et Arthur de Wellington (1769-1852) furent admirés pour leurs actions politiques et le sens de leur stratégie. Le premier marqua le congrès de Vienne de 1815, qui redéfinissait l'Europe post-napoléonienne ; le second fut l'artisan de la victoire anglaise de Waterloo.   **3.** L'œuvre de l'écrivain anglais (1788-1824), figure emblématique du Romantisme, était célèbre par ses qualités de mystère – tout comme l'auteur.   **4.** L'empereur romain Vespasien (69-79) aurait dit : « L'argent n'a pas d'odeur. »

ville où les problèmes sociaux se résolvent par des équations algébriques, les aventuriers ont en leur faveur d'excellentes chances. En supposant que cette famille eût été bohémienne d'origine, elle était si riche, si attrayante, que la haute société pouvait bien lui pardonner ses petits mystères. Mais, par malheur, l'histoire énigmatique de la maison Lanty offrait un perpétuel intérêt de curiosité, assez semblable à celui des romans d'Anne Radcliffe [1].

Les observateurs, ces gens qui tiennent à savoir dans quel magasin vous achetez vos candélabres, ou qui vous demandent le prix du loyer quand votre appartement leur semble beau, avaient remarqué, de loin en loin, au milieu des fêtes, des concerts, des bals, des raouts [2] donnés par la comtesse, l'apparition d'un personnage étrange. C'était un homme. La première fois qu'il se montra dans l'hôtel, ce fut pendant un concert, où il semblait avoir été attiré vers le salon par la voix enchanteresse de Marianina.

« Depuis un moment, j'ai froid », dit à sa voisine une dame placée près de la porte.

L'inconnu, qui se trouvait près de cette femme, s'en alla.

« Voilà qui est singulier ! j'ai chaud, dit cette femme après le départ de l'étranger. Et vous me taxerez peut-être de folie, mais je ne saurais m'empêcher de penser que mon voisin, ce monsieur vêtu de noir qui vient de partir, causait ce froid. »

Bientôt l'exagération naturelle aux gens de la haute société fit naître et accumuler les idées les plus plaisantes, les expressions les plus bizarres, les

---

1. Romancière anglaise (1764-1823), spécialiste du « roman gothique », terrifiant et invraisemblable. Ses titres les plus célèbres restent *Les Mystères d'Udolphe* (1794) et *L'Italien ou le confessionnal des pénitents noirs* (1797). **2.** Anglicisme très usité vers 1830, qui désigne une assemblée mondaine.

contes les plus ridicules sur ce personnage mystérieux. Sans être précisément un vampire, une goule,
un homme artificiel, une espèce de Faust ou de
Robin des bois[1], il participait, au dire des gens amis
du fantastique, de toutes ces natures anthropomor-
phes[2]. Il se rencontrait çà et là des Allemands qui
prenaient pour des réalités ces railleries ingénieuses
de la médisance parisienne. L'étranger était simplement un *vieillard*. Plusieurs de ces jeunes hommes,
habitués à décider, tous les matins, l'avenir de l'Europe, dans quelques phrases élégantes, voulaient voir
en l'inconnu quelque grand criminel, possesseur
d'immenses richesses. Des romanciers racontaient la
vie de ce vieillard, et vous donnaient des détails véri-
tablement curieux sur les atrocités commises par lui
pendant le temps qu'il était au service du prince de
Mysore[3]. Des banquiers, gens plus positifs, établis-
saient une fable spécieuse : « Bah ! disaient-ils en
haussant leurs larges épaules par un mouvement de
pitié, ce petit vieux est une *tête génoise* !

— Monsieur, si ce n'est pas une indiscrétion,
pourriez-vous avoir la bonté de m'expliquer ce que
vous entendez par une tête génoise ?

— Monsieur, c'est un homme sur la vie duquel

---

1. Une goule est un démon femelle qui dévore les hommes ;
« l'homme artificiel » renvoie directement au *Frankenstein* de
Mary Shelley, traduit en français en 1821 ; Faust est celui qui ven-
dit son âme au diable (voir Goethe). Pour « Robin des bois », on
peut penser à *Ivanhoé* de Walter Scott, traduit en 1820, mais peut-
être plutôt à l'adaptation du satanique *Freischütz*, l'opéra fantastique de Weber, autrement plus terrifiant que le roman historique
de Scott, avec un héros réellement démoniaque, et qui avait été
donné à Paris dans une traduction et adaptation de Castil-Blaze
en 1824, sous le titre de... *Robin des bois*.   **2.** Qui ont forme
humaine.   **3.** Mysore est l'ancien nom de la province de Karnà-
taka, au sud-est de l'Inde ; le prince est Haïder Ali (mort en 1782),
ou son fils Tippoo Sahib (1749-1799), adversaire acharné des
Anglais.

reposent d'énormes capitaux, et de sa bonne santé dépendent sans doute les revenus de cette famille[1]. »

Je me souviens d'avoir entendu chez madame d'Espard[2] un magnétiseur prouvant, par des considérations historiques très spécieuses, que ce vieillard, mis sous verre, était le fameux Balsamo, dit Cagliostro[3]. Selon ce moderne alchimiste, l'aventurier sicilien avait échappé à la mort, et s'amusait à faire de l'or pour ses petits-enfants. Enfin le bailli de Ferrette[4] prétendait avoir reconnu dans ce singulier personnage le comte de Saint-Germain[5]. Ces niaiseries, dites avec le ton spirituel, avec l'air railleur qui, de nos jours, caractérise une société sans croyances, entretenaient de vagues soupçons sur la maison de Lanty. Enfin, par un singulier concours de circonstances, les membres de cette famille justifiaient les conjectures du monde, en tenant une conduite assez mystérieuse avec ce vieillard, dont la vie était en quelque sorte dérobée à toutes les investigations.

Ce personnage franchissait-il le seuil de l'appartement qu'il était censé occuper à l'hôtel de Lanty, son apparition causait toujours une grande sensation dans la famille. On eût dit un événement de haute importance. Filippo, Marianina, madame de Lanty et un vieux domestique avaient seuls le privilège d'ai-

---

1. L'origine de cette expression n'est pas claire. Mais il faut se souvenir que les Génois ont été les premiers marchands banquiers, au XIIIe siècle. On pourrait donc avoir là une forme de synecdoque valorisant l'idée de fortune obtenue par capitalisation. Plus le paradigme italien. **2.** « Madame de Briche » dans l'édition de 1830 (*cf. supra*, p. 25, n. 1). Sur la redoutable madame d'Espard, voir *L'Interdiction* et *Illusions perdues*. **3.** Aventurier italien (1743-1795), qui se fit connaître pour son art des sciences occultes. **4.** (1749-1831), ambassadeur à Paris du grand-duc de Bade, et grand prieur de l'Ordre de Malte. Un bailli est un officier d'épée ou de robe qui rendait la justice au nom du roi ou d'un seigneur. **5.** Autre aventurier mystérieux, qui se disait multicentenaire ; il séjourna en France de 1750 à 1760 environ.

der l'inconnu à marcher, à se lever, à s'asseoir. Chacun en surveillait les moindres mouvements. Il semblait que ce fût une personne enchantée de qui dépendissent le bonheur, la vie ou la fortune de tous. Était-ce crainte ou affection ? Les gens du monde ne pouvaient découvrir aucune induction qui les aidât à résoudre ce problème. Caché pendant des mois entiers au fond d'un sanctuaire inconnu, ce génie familier en sortait tout à coup comme furtivement, sans être attendu, et apparaissait au milieu des salons comme ces fées d'autrefois qui descendaient de leurs dragons volants pour venir troubler les solennités auxquelles elles n'avaient pas été conviées. Les observateurs les plus exercés pouvaient alors seuls deviner l'inquiétude des maîtres du logis, qui savaient dissimuler leurs sentiments avec une singulière habileté. Mais parfois, tout en dansant dans un quadrille, la trop naïve Marianina jetait un regard de terreur sur le vieillard qu'elle surveillait au sein des groupes. Ou bien Filippo s'élançait en se glissant à travers la foule, pour le joindre, et restait auprès de lui, tendre et attentif, comme si le contact des hommes ou le moindre souffle dût briser cette créature bizarre. La comtesse tâchait de s'en approcher, sans paraître avoir eu l'intention de le rejoindre ; puis, en prenant des manières et une physionomie autant empreintes de servilité que de tendresse, de soumission que de despotisme, elle disait deux ou trois mots auxquels déférait presque toujours le vieillard, il disparaissait emmené, ou, pour mieux dire, emporté par elle. Si madame de Lanty n'était pas là, le comte employait mille stratagèmes pour arriver à lui ; mais il avait l'air de s'en faire écouter difficilement, et le traitait comme un enfant gâté dont la mère écoute les caprices ou redoute la mutinerie. Quelques indiscrets s'étant hasardés à questionner étourdiment le comte de Lanty, cet homme froid et réservé n'avait jamais paru comprendre l'interrogation des curieux. Aussi, après bien des tentatives, que la circonspection de tous les membres de cette famille rendit vaines, personne ne chercha-t-il à découvrir un secret si bien gardé. Les espions de bonne compagnie, les gobe-mouches et les politiques avaient fini, de guerre lasse, par ne plus s'occuper de ce mystère.

Mais en ce moment il y avait peut-être au sein de ces salons resplendissants des philosophes qui, tout en prenant une glace, un sorbet, ou en posant sur une console leur verre vide de punch, se disaient : « Je ne serais pas étonné d'apprendre que ces gens-là sont des fripons. Ce vieux, qui se cache et n'apparaît qu'aux équinoxes ou aux solstices, m'a tout l'air d'un assassin...

— Ou d'un banqueroutier...

— C'est à peu près la même chose. Tuer la fortune d'un homme, c'est quelquefois pis que de le tuer lui-même.

— Monsieur, j'ai parié vingt louis[1], il m'en revient quarante.

— Ma foi ! monsieur, il n'en reste que trente sur le tapis...

— Hé bien, voyez-vous comme la société est mêlée ici. On n'y peut pas jouer.

— C'est vrai. Mais voilà bientôt six mois que nous n'avons aperçu l'Esprit. Croyez-vous que ce soit un être vivant ?

— Hé ! hé ! tout au plus... »

Ces derniers mots étaient dits, autour de moi, par des inconnus qui s'en allèrent au moment où je résu-

---

1. Pièce d'or française de 20 francs, soit environ 450 FF d'aujourd'hui, ou 69 euros.

mais, dans une dernière pensée, mes réflexions mélangées de noir et de blanc, de vie et de mort. Ma folle imagination autant que mes yeux contemplait tour à tour et la fête, arrivée à son plus haut degré de splendeur, et le sombre tableau des jardins. Je ne sais combien de temps je méditai sur ces deux côtés de la médaille humaine ; mais soudain le rire étouffé d'une jeune femme me réveilla. Je restai stupéfait à l'aspect de l'image qui s'offrit à mes regards. Par un des plus rares caprices de la nature, la pensée en demi-deuil qui se roulait dans ma cervelle en était sortie, elle se trouvait devant moi, personnifiée, vivante, elle avait jailli comme Minerve de la tête de Jupiter, grande et forte, elle avait tout à la fois cent ans et vingt-deux ans, elle était vivante et morte. Échappé de sa chambre, comme un fou de sa loge, le petit vieillard s'était sans doute adroitement coulé derrière une haie de gens attentifs à la voix de Marianina, qui finissait la cavatine de *Tancrède*[1]. Il semblait être sorti de dessous terre, poussé par quelque mécanisme de théâtre. Immobile et sombre, il resta pendant un moment à regarder cette fête, dont le murmure avait peut-être atteint à ses oreilles. Sa préoccupation, presque somnambulique, était si concentrée sur les choses qu'il se trouvait au milieu du monde sans voir le monde. Il avait surgi sans cérémonie auprès d'une des plus ravissantes femmes

---

1. Opéra de Rossini, créé à Venise en 1813, et à Paris en 1822, consacrant définitivement la gloire d'un homme duquel, « depuis la mort de Napoléon », « on parle tous les jours à Moscou comme à Naples, à Londres comme à Vienne, à Paris comme à Calcutta », note Stendhal *(Vie de Rossini)*. *Tancredi* fut un des plus grands triomphes du XIXᵉ siècle. María Malibran et Henriette Sontag *(cf.* p. 26, n. 4) y avaient triomphé à Paris en 1829. La cavatine en question (pièce vocale plus courte qu'un air véritable) est le fameux « *Di tanti palpiti* » que chante le héros éponyme, rôle travesti puisque écrit pour une femme à la voix de registre grave.

de Paris, danseuse élégante et jeune, aux formes délicates, une de ces figures aussi fraîches que l'est celle d'un enfant, blanches et roses, et si frêles, si transparentes, qu'un regard d'homme semble devoir les pénétrer, comme les rayons du soleil traversent une glace pure. Ils étaient là, devant moi, tous deux, ensemble, unis et si serrés, que l'étranger froissait et la robe de gaze, et les guirlandes de fleurs, et les cheveux légèrement crêpés, et la ceinture flottante.

J'avais amené cette jeune femme au bal de madame de Lanty. Comme elle venait pour la première fois dans cette maison, je lui pardonnai son rire étouffé ; mais je lui fis vivement je ne sais quel signe impérieux qui la rendit tout interdite et lui donna du respect pour son voisin. Elle s'assit près de moi. Le vieillard ne voulut pas quitter cette délicieuse créature, à laquelle il s'attacha capricieusement avec cette obstination muette et sans cause apparente, dont sont susceptibles les gens extrêmement âgés, et qui les fait ressembler à des enfants. Pour s'asseoir auprès de la jeune dame, il lui fallut prendre un pliant. Ses moindres mouvements furent empreints de cette lourdeur froide, de cette stupide indécision qui caractérisent les gestes d'un paralytique. Il se posa lentement sur son siège, avec circonspection, et en grommelant quelques paroles inintelligibles. Sa voix cassée ressembla au bruit que fait une pierre en tombant dans un puits. La jeune femme me pressa vivement la main, comme si elle eût cherché à se garantir d'un précipice, et frissonna quand cet homme, qu'elle regardait, tourna sur elle deux yeux sans chaleur, deux yeux glauques qui ne pouvaient se comparer qu'à de la nacre ternie.

« J'ai peur, me dit-elle en se penchant à mon oreille.

— Vous pouvez parler, répondis-je. Il entend très difficilement.

— Vous le connaissez donc ?

— Oui. »

Elle s'enhardit alors assez pour examiner pendant un moment cette créature sans nom dans le langage humain, forme sans substance, être sans vie, ou vie sans action. Elle était sous le charme de cette craintive curiosité qui pousse les femmes à se procurer des émotions dangereuses, à voir des tigres enchaînés, à regarder des boas, en s'effrayant de n'en être séparées que par de faibles barrières. Quoique le petit vieillard eût le dos courbé comme celui d'un journalier, on s'apercevait facilement que sa taille avait dû être ordinaire. Son excessive maigreur, la délicatesse de ses membres, prouvaient que ses proportions étaient toujours restées sveltes. Il portait une culotte de soie noire, qui flottait autour de ses cuisses décharnées en décrivant des plis comme une voile abattue. Un anatomiste eût reconnu soudain les symptômes d'une affreuse étisie[1] en voyant les petites jambes qui servaient à soutenir ce corps étrange. Vous eussiez dit de deux os mis en croix sur une tombe. Un sentiment de profonde horreur pour l'homme saisissait le cœur quand une fatale attention vous dévoilait les marques imprimées par la décrépitude à cette casuelle[2] machine. L'inconnu portait un gilet blanc, brodé d'or, à l'ancienne mode, et son linge était d'une blancheur éclatante. Un jabot de dentelle d'Angleterre assez roux, dont la richesse eût été enviée par une reine, formait

---

1. Désigne le fait d'être *étique*, c'est-à-dire d'une extrême maigreur.   **2.** Le vrai sens est « éventuel », mais est ici employé comme synonyme de « fragile », ce qui est une liberté sévèrement condamnée par les puristes.

des ruches[1] jaunes sur sa poitrine ; mais sur lui cette
dentelle était plutôt un haillon qu'un ornement. Au
milieu de ce jabot, un diamant d'une valeur incalcu-
lable scintillait comme le soleil. Ce luxe suranné, ce
trésor intrinsèque et sans goût, faisaient encore
mieux ressortir la figure de cet être bizarre. Le cadre
était digne du portrait. Ce visage noir était anguleux
et creusé dans tous les sens. Le menton était creux ;
les tempes étaient creuses ; les yeux étaient perdus
en de jaunâtres orbites. Les os maxillaires, rendus
saillants par une maigreur indescriptible, dessinaient
des cavités au milieu de chaque joue. Ces gibbosités,
plus ou moins éclairées par les lumières, produisirent
des ombres et des reflets curieux qui achevaient
d'ôter à ce visage les caractères de la face humaine.
Puis les années avaient si fortement collé sur les os
la peau jaune et fine de ce visage qu'elle y décrivait
partout une multitude de rides ou circulaires[2],
comme les replis de l'eau troublée par un caillou que
jette un enfant, ou étoilées comme une fêlure de
vitre, mais toujours profondes et aussi pressées que
les feuillets dans la tranche d'un livre. Quelques
vieillards nous présentent souvent des portraits plus
hideux ; mais ce qui contribuait le plus à donner
l'apparence d'une création artificielle au spectre sur-
venu devant nous, était le rouge et le blanc dont il
reluisait. Les sourcils de son masque recevaient de
la lumière un lustre qui révélait une peinture très
bien exécutée. Heureusement pour la vue attristée de
tant de ruines, son crâne cadavéreux était caché sous
une perruque blonde dont les boucles innombrables
trahissaient une prétention extraordinaire. Du reste,
la coquetterie féminine de ce personnage fantasma-

---

1. Par analogie de forme avec la gaufre de cire, bande étroite
(de tulle, de dentelle), plissée ou froncée, servant d'ornement.
2. Terme de chirurgie : un circulaire est une bande qui entoure.

gorique était assez énergiquement annoncée par les
boucles d'or qui pendaient à ses oreilles, par les
anneaux dont les admirables pierreries brillaient à
ses doigts ossifiés, et par une chaîne de montre qui
scintillait comme les chatons d'une rivière au cou
d'une femme. Enfin, cette espèce d'idole japonaise
conservait sur ses lèvres bleuâtres un rire fixe et
arrêté, un rire implacable et goguenard, comme celui
d'une tête de mort. Silencieuse, immobile autant
qu'une statue, elle exhalait l'odeur musquée des
vieilles robes que les héritiers d'une duchesse exhu-
ment de ses tiroirs pendant un inventaire. Si le vieillard tournait les yeux vers l'assemblée, il semblait
que les mouvements de ces globes incapables de
réfléchir une lueur se fussent accomplis par un artifice imperceptible ; et quand les yeux s'arrêtaient,
celui qui les examinait finissait par douter qu'ils eussent remué. Voir, auprès de ces débris humains, une
jeune femme dont le cou, les bras et le corsage
étaient nus et blancs ; dont les formes pleines et ver-
doyantes de beauté, dont les cheveux bien plantés
sur un front d'albâtre inspiraient l'amour, dont les
yeux ne recevaient pas, mais répandaient la lumière,
qui était suave, fraîche, et dont les boucles vapo-
reuses, dont l'haleine embaumée semblaient trop
lourdes, trop dures, trop puissantes pour cette ombre,
pour cet homme en poussière ; ah ! c'était bien la
mort et la vie, ma pensée, une arabesque imaginaire,
une chimère hideuse à moitié, divinement femelle
par le corsage.

« Il y a pourtant de ces mariages-là qui s'accom-
plissent assez souvent dans le monde », me dis-je.

« Il sent le cimetière », s'écria la jeune femme
épouvantée qui me pressa comme pour s'assurer de
ma protection, et dont les mouvements tumultueux
me dirent qu'elle avait grand-peur. « C'est une hor-

rible vision, reprit-elle, je ne saurais rester là plus
longtemps. Si je le regarde encore, je croirai que la
mort elle-même est venue me chercher. Mais vit-
il ? »

Elle porta la main sur le phénomène avec cette
hardiesse que les femmes puisent dans la violence
de leurs désirs ; mais une sueur froide sortit de ses
pores, car aussitôt qu'elle eut touché le vieillard, elle
entendit un cri semblable à celui d'une crécelle.
Cette aigre voix, si c'était une voix, s'échappa d'un
gosier presque desséché. Puis à cette clameur suc-
céda vivement une petite toux d'enfant, convulsive
et d'une sonorité particulière. À ce bruit, Marianina,
Filippo et madame de Lanty jetèrent les yeux sur
nous, et leurs regards furent comme des éclairs. La
jeune femme aurait voulu être au fond de la Seine.
Elle prit mon bras et m'entraîna vers un boudoir.
Hommes et femmes, tout le monde nous fit place.
Parvenus au fond des appartements de réception,
nous entrâmes dans un petit cabinet demi-circulaire.
Ma compagne se jeta sur un divan, palpitant d'effroi,
sans savoir où elle était.

« Madame, vous êtes folle, lui dis-je.

— Mais, reprit-elle après un moment de silence
pendant lequel je l'admirai, est-ce ma faute ? Pourquoi madame de Lanty laisse-t-elle errer des reve-
nants dans son hôtel ?

— Allons, répondis-je, vous imitez les sots. Vous
prenez un petit vieillard pour un spectre.

— Taisez-vous », répliqua-t-elle avec cet air
imposant et railleur que toutes les femmes savent si
bien prendre quand elles veulent avoir raison. « Le
joli boudoir ! s'écria-t-elle en regardant autour
d'elle. Le satin bleu fait toujours à merveille en tenture. Est-ce frais ! Ah ! le beau tableau ! » ajouta-

t-elle en se levant, et allant se mettre en face d'une toile magnifiquement encadrée.

Nous restâmes pendant un moment dans la contemplation de cette merveille, qui semblait due à quelque pinceau surnaturel. Le tableau représentait Adonis [1] étendu sur une peau de lion. La lampe suspendue au milieu du boudoir, et contenue dans un vase d'albâtre, illuminait alors cette toile d'une lueur douce qui nous permit de saisir toutes les beautés de la peinture.

« Un être si parfait existe-t-il ? » me demandat-elle après avoir examiné, non sans un doux sourire de contentement, la grâce exquise des contours, la pose, la couleur, les cheveux, tout enfin.

« Il est trop beau pour un homme », ajouta-t-elle après un examen pareil à celui qu'elle aurait fait d'une rivale.

Oh ! comme je ressentis alors les atteintes de cette jalousie à laquelle un poète avait essayé vainement de me faire croire ! la jalousie des gravures, des tableaux, des statues, où les artistes exagèrent la beauté humaine, par suite de la doctrine qui les porte à tout idéaliser.

« C'est un portrait, lui répondis-je. Il est dû au talent de Vien [2]. Mais ce grand peintre n'a jamais vu l'original, et votre admiration sera moins vive peut-être quand vous saurez que cette académie [3] a été faite d'après une statue de femme.

— Mais qui est-ce ? »

J'hésitai.

---

1. Divinité grecque, représentant le principe mâle de la reproduction, qui avait la forme d'un jeune homme d'une grande beauté. **2.** Joseph Marie Vien (1716-1809), peintre et graveur ; il a été directeur de l'Académie de France à Rome en 1775. Jusqu'à l'édition de 1844, le peintre cité était « Girodet », que nous retrouverons plus loin. **3.** Figure entière peinte ou dessinée d'après modèle, et qui n'est pas destinée à entrer dans la composition d'un tableau.

« Je veux le savoir, ajouta-t-elle vivement.

— Je crois, lui dis-je, que cet Adonis représente un... un... un parent de madame de Lanty. »

J'eus la douleur de la voir abîmée dans la contemplation de cette figure. Elle s'assit en silence, je me mis auprès d'elle, et lui pris la main sans qu'elle s'en aperçût ! Oublié pour un portrait ! En ce moment le bruit léger des pas d'une femme dont la robe frémissait retentit dans le silence. Nous vîmes entrer la jeune Marianina, plus brillante encore par son expression d'innocence que par sa grâce et par sa fraîche toilette ; elle marchait alors lentement, et tenait avec un soin maternel, avec une filiale sollicitude, le spectre habillé qui nous avait fait fuir du salon de musique ; elle le conduisit en le regardant avec une espèce d'inquiétude posant lentement ses pieds débiles. Tous deux, ils arrivèrent assez péniblement à une porte cachée dans la tenture. Là, Marianina frappa doucement. Aussitôt apparut, comme par magie, un grand homme sec, espèce de génie familier. Avant de confier le vieillard à ce gardien mystérieux, la jeune enfant baisa respectueusement le cadavre ambulant, et sa chaste caresse ne fut pas exempte de cette câlinerie gracieuse dont le secret appartient à quelques femmes privilégiées.

« *Addio, addio !* » disait-elle avec les inflexions les plus jolies de sa jeune voix.

Elle ajouta même sur la dernière syllabe une roulade admirablement bien exécutée, mais à voix basse, et comme pour peindre l'effusion de son cœur par une expression poétique. Le vieillard, frappé subitement par quelque souvenir, resta sur le seuil de ce réduit secret. Nous entendîmes alors, grâce à un profond silence, le soupir lourd qui sortit de sa poitrine : il tira la plus belle des bagues dont ses doigts de squelette étaient chargés, et la plaça dans le sein de Marianina. La jeune folle se mit à rire, reprit la bague, la glissa par-dessus son gant à l'un de ses doigts, et s'élança vivement vers le salon, où retentirent en ce moment les préludes d'une contre-danse. Elle nous aperçut.

« Ah ! vous étiez là ! » dit-elle en rougissant.

Après nous avoir regardés comme pour nous interroger, elle courut à son danseur avec l'insouciante pétulance de son âge.

« Qu'est-ce que cela veut dire ? me demanda ma jeune partenaire. Est-ce son mari ? Je crois rêver. Où suis-je ?

— Vous ! répondis-je, vous, madame, qui êtes exaltée et qui, comprenant si bien les émotions les plus imperceptibles, savez cultiver dans un cœur d'homme le plus délicat des sentiments, sans le flétrir, sans le briser dès le premier jour, vous qui avez pitié des peines du cœur, et qui à l'esprit d'une Parisienne joignez une âme passionnée digne de l'Italie ou de l'Espagne... »

Elle vit bien que mon langage était empreint d'une ironie amère ; et, alors, sans avoir l'air d'y prendre garde, elle m'interrompit pour dire : « Oh ! vous me faites à votre goût. Singulière tyrannie ! Vous voulez que je ne sois pas *moi*.

— Oh ! je ne veux rien, m'écriai-je épouvanté de son attitude sévère. Au moins est-il vrai que vous aimez à entendre raconter l'histoire de ces passions énergiques enfantées dans nos cœurs par les ravissantes femmes du Midi [1] ?

----

1. Le Romantisme français aimait les chroniques sanglantes à décor espagnol ou italien ; voir Stendhal, Mérimée, Gautier. C'était la matière d'un grand nombre de contes ou courts récits qui étaient publiés en revue – comme *Sarrasine* donc –, et majoritairement destinés aux femmes. Sur la volonté de Balzac de ne pas être « exclusivement un *contier* », voir Balzac, *Écrits sur le roman*, Le Livre de Poche, 2000, p. 78.

— Oui. Hé bien ?

— Hé bien, j'irai demain soir chez vous vers neuf heures, et je vous révélerai ce mystère.

— Non, répondit-elle d'un air mutin, je veux l'apprendre sur-le-champ.

— Vous ne m'avez pas encore donné le droit de vous obéir quand vous dites : "Je veux."

— En ce moment, répondit-elle avec une coquetterie désespérante, j'ai le plus vif désir de connaître ce secret. Demain, je ne vous écouterai peut-être pas... »

Elle sourit, et nous nous séparâmes ; elle toujours aussi fière, aussi rude, et moi toujours aussi ridicule en ce moment que toujours. Elle eut l'audace de valser avec un jeune aide de camp, et je restai tour à tour fâché, boudeur, admirant, aimant, jaloux.

« À demain », me dit-elle vers deux heures du matin, quand elle sortit du bal.

« Je n'irai pas, pensais-je, et je t'abandonne. Tu es plus capricieuse, plus fantasque mille fois peut-être... que mon imagination. »[1]

Le lendemain, nous étions devant un bon feu, dans un petit salon élégant, assis tous deux ; elle sur une causeuse ; moi, sur des coussins, presque à ses pieds, et mon œil sous le sien. La rue était silencieuse. La lampe jetait une clarté douce. C'était une de ces soirées délicieuses à l'âme, un de ces moments qui ne s'oublient jamais, une de ces heures passées dans la paix et le désir, et dont, plus tard, le charme est toujours un sujet de regret, même quand nous nous trouvons plus heureux. Qui peut effacer la vive empreinte des premières sollicitations de l'amour ?

« Allons, dit-elle, j'écoute.

---

1. C'est ici que se terminait la première partie (« Les deux portraits »), publiée le 21 novembre 1830 dans la *Revue de Paris*. La suite (« Une passion d'artiste ») parut une semaine plus tard.

— Mais je n'ose commencer. L'aventure a des passages dangereux pour le narrateur. Si je m'enthousiasme, vous me ferez taire.

— Parlez.

— J'obéis.

— Ernest-Jean Sarrasine[1] était le seul fils d'un procureur de la Franche-Comté, repris-je après une pause. Son père avait assez loyalement gagné six à huit mille livres de rente, fortune de praticien[2] qui, jadis, en province, passait pour colossale. Le vieux maître Sarrasine, n'ayant qu'un enfant, ne voulut rien négliger pour son éducation, il espérait en faire un magistrat, et vivre assez longtemps pour voir, dans ses vieux jours, le petit-fils de Matthieu Sarrasine, laboureur au pays de Saint-Dié[3], s'asseoir sur les lys[4] et dormir à l'audience pour la plus grande gloire du Parlement ; mais le ciel ne réservait pas cette joie au procureur. Le jeune Sarrasine, confié de bonne heure aux Jésuites, donna les preuves d'une turbulence peu commune. Il eut l'enfance d'un homme de talent. Il ne voulait étudier qu'à sa guise, se révoltait souvent, et restait parfois des heures

---

1. Il y eut un sculpteur du xviie siècle, célèbre en son temps, Jacques Sarrazin (1588-1660), un des fondateurs de l'Académie de peinture et de sculpture, que Diderot cite dans son *Salon de 1767* (publié en 1798). Sur la lecture de Diderot par Balzac, voir l'article de J. Seznec (*cf.* Indications bibliographiques). Balzac a également pu se renseigner dans la très célèbre *Biographie universelle ancienne et moderne* des frères Michaud, qui commença à paraître en 1806, et eut plusieurs éditions tout au long du siècle. La somme proposait des notices biographiques, plus ou moins fiables : il y a une notice sur « J. Sarazin (ou Sarasin, Sarrazin) » [*sic*], précisant que le jeune Français alla étudier à Rome, où il bénéficia de la protection du cardinal Aldobrandini, qui le fit travailler dans sa villa de Frascati. **2.** Celui qui connaît la manière de procéder en justice, homme de loi. **3.** Saint-Dié est dans les Vosges et n'a jamais été rattaché à la Franche-Comté. **4.** La fleur de lys est l'emblème de la royauté : la synecdoque symbolique renvoie à toute forme d'état approuvé par le Roi.

entières plongé dans de confuses méditations, occupé, tantôt à contempler ses camarades quand ils jouaient, tantôt à se représenter les héros d'Homère. Puis, s'il lui arrivait de se divertir, il mettait une ardeur extraordinaire dans ses jeux. Lorsqu'une lutte s'élevait entre un camarade et lui, rarement le combat finissait sans qu'il y eût du sang répandu. S'il était le plus faible, il mordait. Tour à tour agissant ou passif, sans aptitude ou trop intelligent, son caractère bizarre le fit redouter de ses maîtres autant que de ses camarades. Au lieu d'apprendre les éléments de la langue grecque, il dessinait le révérend père qui leur expliquait un passage de Thucydide[1], croquait le maître de mathématiques, le préfet, les valets, le correcteur, et barbouillait tous les murs d'esquisses informes. Au lieu de chanter les louanges du Seigneur à l'église, il s'amusait, pendant les offices, à déchiqueter un banc ; ou quand il avait volé quelque morceau de bois, il sculptait quelque figure de sainte. Si le bois, la pierre ou le crayon lui manquaient, il rendait ses idées avec de la mie de pain. Soit qu'il copiât les personnages des tableaux qui garnissaient le chœur, soit qu'il improvisât, il laissait toujours à sa place de grossières ébauches, dont le caractère licencieux désespérait les plus jeunes pères ; et les médisants prétendaient que les vieux jésuites en souriaient. Enfin, s'il faut en croire la chronique du collège, il fut chassé, pour avoir, en attendant son tour au confessionnal, un vendredi saint, sculpté une grosse bûche en forme de Christ. L'impiété gravée sur cette statue était trop forte pour ne pas attirer un châtiment à l'artiste. N'avait-il pas eu l'audace de placer sur le haut du tabernacle cette figure passablement cynique ! Sarra-

---

1. Historien grec (470-395 av. J.-C., environ).

sine vint chercher à Paris un refuge contre les
menaces de la malédiction paternelle. Ayant une de
ces volontés fortes qui ne connaissent pas d'obstacles, il obéit aux ordres de son génie et entra dans
l'atelier de Bouchardon[1]. Il travaillait pendant toute
la journée, et, le soir, allait mendier sa subsistance.
Bouchardon, émerveillé des progrès et de l'intelligence du jeune artiste, devina bientôt la misère dans
laquelle se trouvait son élève ; il le secourut, le prit
en affection, et le traita comme son enfant. Puis,
lorsque le génie de Sarrasine se fut dévoilé par une
de ces œuvres où le talent à venir lutte contre l'effervescence de la jeunesse, le généreux Bouchardon
essaya de le remettre dans les bonnes grâces du
vieux procureur. Devant l'autorité du sculpteur
célèbre le courroux paternel s'apaisa. Besançon tout
entier se félicita d'avoir donné le jour à un grand
homme futur. Dans le premier moment d'extase où
le plongea sa vanité flattée, le praticien avare mit
son fils en état de paraître avec avantage dans le
monde. Les longues et laborieuses études exigées
par la sculpture domptèrent pendant longtemps le
caractère impétueux et le génie sauvage de Sarrasine. Bouchardon, prévoyant la violence avec
laquelle les passions se déchaîneraient dans cette
jeune âme, peut-être aussi vigoureusement trempée
que celle de Michel-Ange[2], en étouffa l'énergie sous
des travaux continus. Il réussit à maintenir dans de
justes bornes la fougue extraordinaire de Sarrasine,
en lui défendant de travailler, en lui proposant des

---

1. Edme Bouchardon (1698-1762), sculpteur français.   **2.** Le
célèbre artiste italien (1475-1564), sculpteur, peintre, architecte,
ingénieur et poète, était connu pour sa personnalité indomptable.
Là encore (*cf. supra*), Balzac a pu puiser ses renseignements dans
la *Biographie Michaud*, dont la notice « Michel-Ange », due à Qua-
tremère de Quincy, est d'écriture extrêmement romanesque, accu-
mulant des anecdotes plus ou moins authentiques.

distractions quand il le voyait emporté par la furie de quelque pensée, ou en lui confiant d'importants travaux au moment où il était prêt à se livrer à la dissipation. Mais, auprès de cette âme passionnée, la douceur fut toujours la plus puissante de toutes les armes, et le maître ne prit un grand empire sur son élève qu'en en excitant la reconnaissance par une bonté paternelle. À l'âge de vingt-deux ans, Sarrasine fut forcément soustrait à la salutaire influence que Bouchardon exerçait sur ses mœurs et sur ses habitudes. Il porta les peines de son génie en gagnant le prix de sculpture fondé par le marquis de Marigny, le frère de madame de Pompadour, qui fit tant pour les Arts[1]. Diderot vanta comme un chef-d'œuvre la statue de l'élève de Bouchardon[2]. Ce ne fut pas sans une profonde douleur que le sculpteur du Roi vit partir pour l'Italie un jeune homme dont, par principe, il avait entretenu l'ignorance profonde sur les choses de la vie. Sarrasine était depuis six ans le commensal[3] de Bouchardon. Fanatique de son art comme Canova[4] le fut depuis, il se levait au jour, entrait dans l'atelier pour n'en sortir qu'à la nuit, et ne vivait qu'avec sa muse. S'il allait à la Comédie-Française, il y était entraîné par son maître. Il se sentait si gêné chez madame Geoffrin[5] et dans le grand monde où Bouchardon essaya de l'introduire,

---

1. Madame de Pompadour (1721-1764), de son vrai nom Jeanne Antoinette Poisson, favorite de Louis XV qui la fit marquise, avait un frère, devenu, grâce à elle, marquis de Marigny (1727-1781), directeur général des Bâtiments, arts et manufactures du Roi à partir de 1751.   **2.** Sur Diderot, *cf. supra* (p. 44, n. 1) ; on parlait beaucoup de Diderot à Paris en 1830, écrivain alors très mal connu et dont on commençait à apprécier l'importance : la *Revue de Paris* (dans laquelle paraît *Sarrasine*) publia plusieurs inédits.   **3.** Qui partage la table d'une autre personne ; plus largement, « hôte ». **4.** Sculpteur italien (1757-1822), maître du néoclassicisme. **5.** (1699-1777), tenait un salon littéraire que fréquentaient les philosophes de l'*Encyclopédie*.

qu'il préféra rester seul, et répudia les plaisirs de cette époque licencieuse. Il n'eut pas d'autre maîtresse que la Sculpture et Clotilde, l'une des célébrités de l'Opéra. Encore cette intrigue ne dura-t-elle pas. Sarrasine était assez laid, toujours mal mis, et de sa nature si libre, si peu régulier dans sa vie privée, que l'illustre nymphe[1], redoutant quelque catastrophe, rendit bientôt le sculpteur à l'amour des Arts. Sophie Arnould a dit je ne sais quel bon mot à ce sujet[2]. Elle s'étonna, je crois, que sa camarade eût pu l'emporter sur des statues. Sarrasine partit pour l'Italie en 1758. Pendant le voyage, son imagination ardente s'enflamma sous un ciel de cuivre et à l'aspect des monuments merveilleux dont est semée la patrie des Arts. Il admira les statues, les fresques, les tableaux ; et, plein d'émulation, il vint à Rome, en proie au désir d'inscrire son nom entre les noms de Michel-Ange et de monsieur Bouchardon. Aussi, pendant les premiers jours, partagea-t-il son temps entre ses travaux d'atelier et l'examen des œuvres d'art qui abondent à Rome. Il avait déjà passé quinze jours dans l'état d'extase qui saisit toutes les jeunes imaginations à l'aspect de la reine des ruines, quand, un soir, il entra au théâtre d'*Argentina*[3], devant lequel se pressait une grande foule. Il s'enquit des causes de cette affluence, et le monde répondit par deux noms : « Zambinella ! Jomelli[4] ! »

---

1. Il y eut une danseuse nommée « Clotilde » à l'Opéra, mais en 1793.   2. (1744-1803), cantatrice, dont on avait publié quelques recueils de souvenirs ; elle est, en outre, citée par Diderot dans ses textes publiés en 1830.   3. *Teatro di Torre Argentina*, plus exactement. Lieu de création de l'*Ifigenia in Tauride* de Jomelli (1771), et du *Barbiere di Siviglia* de Rossini (1816).   4. Niccolo Jomelli (1714-1774) « fut sans contredit le plus grand maître de son temps » (*Biographie Michaud*). Il débuta à Naples, puis eut de beaux succès à Rome, de 1740 à 1750 environ (*Ricimero, Artarserse*) ; il fit ensuite carrière à Vienne et en Allemagne. De retour en Italie, en 1769, il y rencontre indifférence et oubli.

Il entre et s'assied au parterre, pressé par deux *abba-ti* [1] notablement gros ; mais il était assez heureusement placé près de la scène. La toile se leva. Pour la première fois de sa vie il entendit cette musique dont monsieur Jean-Jacques Rousseau lui avait si éloquemment vanté les délices, pendant une soirée du baron d'Holbach [2]. Les sens du jeune sculpteur furent, pour ainsi dire, lubrifiés par les accents de la sublime harmonie de Jomelli. Les langoureuses originalités de ces voix italiennes habilement mariées le plongèrent dans une ravissante extase. Il resta muet, immobile, ne se sentant pas même foulé par deux prêtres. Son âme passa dans ses oreilles et dans ses yeux. Il crut écouter par chacun de ses pores. Tout à coup des applaudissements à faire crouler la salle accueillirent l'entrée en scène de la *prima donna*. Elle s'avança par coquetterie sur le devant du théâtre, et salua le public avec une grâce infinie. Les lumières, l'enthousiasme de tout un peuple, l'illusion de la scène, les prestiges d'une toilette qui, à cette époque, était assez engageante, conspirèrent en faveur de cette femme. Sarrasine poussa des cris de plaisir. Il admirait en ce moment la beauté idéale de laquelle il avait jusqu'alors cherché çà et là les perfections dans la nature, en demandant à un modèle, souvent ignoble, les rondeurs d'une jambe accomplie ; à tel autre, les contours du sein ; à celui-là, ses blanches épaules ; prenant enfin le cou d'une jeune fille, et les mains de cette femme, et les genoux polis de cet enfant, sans rencontrer jamais sous le ciel froid de Paris les riches et suaves créations de la Grèce antique. La

---

1. Abbés.   2. Autre rappel de Diderot ? Le baron d'Holbach (1723-1789) était un collaborateur de l'*Encyclopédie*, œuvre de Diderot, tout comme Rousseau (1712-1778), qui écrivit pour cette entreprise collective plusieurs articles sur la musique et le chant.

Zambinella lui montrait réunies, bien vivantes et délicates, ces exquises proportions de la nature féminine si ardemment désirées, desquelles un sculpteur est, tout à la fois, le juge le plus sévère et le plus passionné. C'était une bouche expressive, des yeux d'amour, un teint d'une blancheur éblouissante. Et joignez à ces détails, qui eussent ravi un peintre, toutes les merveilles des Vénus révérées et rendues par le ciseau des Grecs. L'artiste ne se lassait pas d'admirer la grâce inimitable avec laquelle les bras étaient attachés au buste, la rondeur prestigieuse du cou, les lignes harmonieusement décrites par les sourcils, par le nez, puis l'ovale parfait du visage, la pureté de ses contours vifs, et l'effet de cils fournis, recourbés qui terminaient de larges et voluptueuses paupières. C'était plus qu'une femme, c'était un chef-d'œuvre ! Il se trouvait dans cette création inespérée de l'amour à ravir tous les hommes, et des beautés dignes de satisfaire un critique. Sarrasine dévorait des yeux la statue de Pygmalion, pour lui descendue de son piédestal[1]. Quand la Zambinella chanta, ce fut un délire. L'artiste eut froid ; puis, il sentit un foyer qui pétilla soudain dans les profondeurs de son être intime, de ce que nous nommons le cœur, faute de mot ! Il n'applaudit pas, il ne dit rien, il éprouvait un mouvement de folie, espèce de frénésie qui ne nous agite qu'à cet âge où le désir a je ne sais quoi de terrible et d'infernal. Sarrasine voulait s'élancer sur le théâtre et s'emparer de cette femme. Sa force, centuplée par une dépression morale impossible à expliquer, puisque ces phénomènes se passent dans une sphère inaccessible à

---

1. Pygmalion, sculpteur légendaire de Chypre, pria Aphrodite de lui accorder une femme à l'image d'une statue dont il était amoureux ; la déesse anima la statue et Pygmalion épousa ainsi Galatée.

« *Tout à coup des applaudissements à faire crouler
la salle accueillirent l'entrée en scène de la* prima donna. »
Gravure du Teatro Regio de Turin pendant
une représentation d'*Arsace* en 1740.

l'observation humaine, tendait à se projeter avec une violence douloureuse. À le voir, on eût dit d'un homme froid et stupide[1]. Gloire, science, avenir, existence, couronnes, tout s'écroula. "Être aimé d'elle, ou mourir", tel fut l'arrêt que Sarrasine porta sur lui-même. Il était si complètement ivre qu'il ne voyait plus ni salle, ni spectateurs, ni acteurs, n'entendait plus de musique. Bien mieux, il n'existait pas de distance entre lui et la Zambinella, il la possédait, ses yeux, attachés sur elle, s'emparaient d'elle. Une puissance presque diabolique lui permettait de sentir le vent de cette voix, de respirer la poudre embaumée dont ces cheveux étaient imprégnés, de voir les méplats[2] de ce visage, d'y compter les veines bleues qui en nuançaient la peau satinée. Enfin cette voix agile, fraîche et d'un timbre argenté, souple comme un fil auquel le moindre souffle d'air donne une forme, qu'il roule et déroule, développe et disperse, cette voix attaquait si vivement son âme qu'il laissa plus d'une fois échapper de ces cris involontaires arrachés par les délices convulsives trop rarement données par les passions humaines. Bientôt il fut obligé de quitter le théâtre. Ses jambes tremblantes refusaient presque de le soutenir. Il était abattu, faible comme un homme nerveux qui s'est livré à quelque effroyable colère. Il avait eu tant de plaisir, ou peut-être avait-il tant souffert, que sa vie s'était écoulée comme l'eau d'un vase renversé par un choc. Il sentait en lui un vide, un anéantissement semblable à ces atonies qui désespèrent les convalescents au sortir d'une forte maladie. Envahi par une tristesse inexplicable, il alla s'asseoir sur les marches

---

1. Littéralement, « frappé de stupeur ».   **2.** Terme de peinture et de sculpture : se dit des différents plans d'un objet (« Lorsqu'on dessine une tête, il faut faire sentir les méplats », Diderot, *Salon de 1765*).

d'une église. Là, le dos appuyé contre une colonne, il se perdit dans une méditation confuse comme un rêve. La passion l'avait foudroyé. De retour au logis, il tomba dans un de ces paroxysmes d'activité qui nous révèlent la présence de principes nouveaux dans notre existence. En proie à cette première fièvre d'amour qui tient autant au plaisir qu'à la douleur, il voulut tromper son impatience et son délire en dessinant la Zambinella de mémoire. Ce fut une sorte de méditation matérielle. Sur telle feuille, la Zambinella se trouvait dans cette attitude, calme et froide en apparence, affectionnée par Raphaël, par le Giorgion et par tous les grands peintres[1]. Sur telle autre, elle tournait la tête avec finesse en achevant une roulade, et semblait s'écouter elle-même. Sarrasine crayonna sa maîtresse dans toutes les poses : il la fit sans voile, assise, debout, couchée, ou chaste ou amoureuse, en réalisant, grâce au délire de ses crayons, toutes les idées capricieuses qui sollicitent notre imagination quand nous pensons fortement à une maîtresse. Mais sa pensée furieuse alla plus loin que le dessin. Il voyait la Zambinella, lui parlait, la suppliait, épuisait mille années de vie et de bonheur avec elle, en la plaçant dans toutes les situations imaginables, en essayant, pour ainsi dire, l'avenir avec elle. Le lendemain, il envoya son laquais louer, pour toute la saison, une loge voisine de la scène. Puis, comme tous les jeunes gens dont l'âme est puissante, il s'exagéra les difficultés de son entreprise, et donna, pour première pâture à sa passion, le bonheur de pouvoir admirer sa maîtresse sans obstacles. Cet âge d'or de l'amour, pendant lequel nous jouissons de notre propre sentiment et où nous nous

---

   1. Raphaël (1483-1520), peintre particulièrement célèbre pour son expression de la beauté féminine ; Giorgione (1477-1510) est surtout vanté pour son traitement de la lumière.

« *Sarrasine crayonna sa maîtresse dans toutes les poses :*
il la fît sans voile, assise, debout, couchée... »
Gravure pour l'édition Furne de *La Comédie humaine*.

© B.N.F. Paris

trouvons heureux presque par nous-mêmes, ne devait pas durer longtemps chez Sarrasine. Cependant les événements le surprirent quand il était encore sous le charme de cette printanière hallucination, aussi naïve que voluptueuse. Pendant une huitaine de jours, il vécut toute une vie, occupé le matin à pétrir la glaise à l'aide de laquelle il réussissait à copier la Zambinella, malgré les voiles, les jupes, les corsets et les nœuds de rubans qui la lui dérobaient. Le soir, installé de bonne heure dans sa loge, seul, couché sur un sofa, il se faisait, semblable à un Turc enivré d'opium, un bonheur aussi fécond, aussi prodigue qu'il le souhaitait. D'abord il se familiarisa graduellement avec les émotions trop vives que lui donnait le chant de sa maîtresse ; puis il apprivoisa ses yeux à la voir, et finit par la contempler sans redouter l'explosion de la sourde rage par laquelle il avait été animé le premier jour. Sa passion devint plus profonde en devenant plus tranquille. Du reste, le farouche sculpteur ne souffrait pas que sa solitude, peuplée d'images, parée des fantaisies de l'espérance et pleine de bonheur, fût troublée par ses camarades. Il aimait avec tant de force et si naïvement qu'il eut à subir les innocents scrupules dont nous sommes assaillis quand nous aimons pour la première fois. En commençant à entrevoir qu'il faudrait bientôt agir, s'intriguer[1], demander où demeurait la Zambinella, savoir si elle avait une mère, un oncle, un tuteur, une famille ; en songeant enfin aux moyens de la voir, de lui parler, il sentait son cœur se gonfler si fort à des idées si ambitieuses, qu'il remettait ces soins au lendemain, heureux de ses

---

1. Combiner divers moyens pour faire réussir quelque chose, se donner beaucoup de peine ; la forme pronominale du verbe, aujourd'hui obsolète, était d'un emploi banal en 1830.

souffrances physiques autant que de ses plaisirs intellectuels.

— Mais, me dit madame de Rochefide [1] en m'interrompant, je ne vois encore ni Marianina ni son petit vieillard.

— Vous ne voyez que lui, m'écriai-je impatienté comme un auteur auquel on fait manquer l'effet d'un coup de théâtre. Depuis quelques jours, repris-je après une pause, Sarrasine était si fidèlement venu s'installer dans sa loge, et ses regards exprimaient tant d'amour, que sa passion pour la voix de Zambinella aurait été la nouvelle de tout Paris, si cette aventure s'y fût passée ; mais en Italie, madame, au spectacle, chacun y assiste pour son compte, avec ses passions, avec un intérêt de cœur qui exclut l'espionnage des lorgnettes. Cependant la frénésie du sculpteur ne devait pas échapper longtemps aux regards des chanteurs et des cantatrices. Un soir, le Français s'aperçut qu'on riait de lui dans les coulisses. Il eût été difficile de savoir à quelles extrémités il se serait porté, si la Zambinella n'était pas entrée en scène. Elle jeta sur Sarrasine un des coups d'œil éloquents qui disent souvent beaucoup plus de choses que les femmes ne le veulent. Ce regard fut toute une révélation. Sarrasine était aimé ! "Si ce n'est qu'un caprice, pensa-t-il en accusant déjà sa maîtresse de trop d'ardeur, elle ne connaît pas la domination sous laquelle elle va tomber. Son caprice durera, j'espère, autant que ma vie." En ce moment, trois coups légèrement frappés à la porte de sa loge excitèrent l'attention de l'artiste. Il ouvrit. Une vieille femme entra mystérieusement. "Jeune homme, dit-elle, si vous voulez être heureux, ayez de la pru-

---

1. Sur l'histoire génétique de cette identité, voir Note sur le texte de la présente édition.

dence, enveloppez-vous d'une cape, abaissez sur vos yeux un grand chapeau ; puis, vers dix heures du soir, trouvez-vous dans la rue du Corso, devant l'hôtel d'Espagne. — J'y serai", répondit-il en mettant deux louis dans la main ridée de la duègne. Il s'échappa de sa loge, après avoir fait un signe d'intelligence à la Zambinella, qui baissa timidement ses voluptueuses paupières comme une femme heureuse d'être enfin comprise. Puis il courut chez lui, afin d'emprunter à la toilette toutes les séductions qu'elle pourrait lui prêter. En sortant du théâtre, un inconnu l'arrêta par le bras. "Prenez garde à vous, seigneur français, lui dit-il à l'oreille. Il s'agit de vie et de mort. Le cardinal Cicognara[1] est son protecteur, et ne badine pas." Quand un démon aurait mis entre Sarrasine et la Zambinella les profondeurs de l'enfer, en ce moment il eût tout traversé d'une enjambée. Semblable aux chevaux des immortels peints par Homère, l'amour du sculpteur avait franchi en un clin d'œil d'immenses espaces. "La mort dût-elle m'attendre au sortir de la maison, j'irais encore plus vite, répondit-il. — *Poverino !*[2]" s'écria l'inconnu en disparaissant. Parler de danger à un amoureux, n'est-ce pas lui vendre des plaisirs ? Jamais le laquais de Sarrasine n'avait vu son maître si minutieux en fait de toilette. Sa plus belle épée, présent de Bouchardon, le nœud que Clotilde lui avait donné, son habit pailleté, son gilet de drap d'argent, sa tabatière d'or, ses montres précieuses, tout fut tiré des coffres, et il se para comme une jeune fille qui doit se promener devant son premier amant. À l'heure dite, ivre d'amour et bouillant d'espérance, Sarrasine, le nez dans son manteau, courut au rendez-vous donné par la vieille.

---

1. Le comte Cicognara (1767-1834), patriote et historien d'art, cité par Stendhal, écrivit une *Histoire de la sculpture* (1813-1818) et fut un ami de Canova. **2.** « Pauvre petit ! »

La duègne attendait. "Vous avez bien tardé ! lui dit-elle. Venez." Elle entraîna le Français dans plusieurs petites rues, et s'arrêta devant un palais d'assez belle apparence. Elle frappa. La porte s'ouvrit. Elle conduisit Sarrasine à travers un labyrinthe d'escaliers, de galeries et d'appartements qui n'étaient éclairés que par les lueurs incertaines de la lune, et arriva bientôt à une porte, entre les fentes de laquelle s'échappaient de vives lumières, d'où partaient de joyeux éclats de plusieurs voix. Tout à coup Sarrasine fut ébloui, quand, sur un mot de la vieille, il fut admis dans ce mystérieux appartement, et se trouva dans un salon aussi brillamment éclairé que somptueusement meublé, au milieu duquel s'élevait une table bien servie, chargée de sacro-saintes bouteilles, de riants flacons dont les facettes rougies étincelaient. Il reconnut les chanteurs et les cantatrices du théâtre, mêlés à des femmes charmantes, tous prêts à commencer une orgie d'artistes qui n'attendait plus que lui. Sarrasine réprima un mouvement de dépit, et fit bonne contenance. Il avait espéré une chambre mal éclairée, sa maîtresse auprès d'un brasier, un jaloux à deux pas, la mort et l'amour, des confidences échangées à voix basse, cœur à cœur, des baisers périlleux, et les visages si voisins, que les cheveux de la Zambinella eussent caressé son front chargé de désirs, brûlant de bonheur. "Vive la folie ! s'écria-t-il. *Signori e belle donne*[1], vous me permettrez de prendre plus tard ma revanche, et de vous témoigner ma reconnaissance pour la manière dont vous accueillez un pauvre sculpteur." Après avoir reçu les compliments assez affectueux de la plupart des personnes présentes, qu'il connaissait de vue, il tâcha de s'approcher de la bergère sur laquelle la Zambinella était nonchalamment

---

1. « Messieurs et belles dames ».

étendue. Oh ! comme son cœur battit quand il aperçut un pied mignon, chaussé de ces mules qui, permettez-moi de le dire, madame, donnaient jadis au pied des femmes une expression si coquette, si voluptueuse, que je ne sais pas comment les hommes y pouvaient résister. Les bas blancs bien tirés et à coins verts, les jupes courtes, les mules pointues et à talons hauts du règne de Louis XV ont peut-être un peu contribué à démoraliser l'Europe et le clergé.

— Un peu ! dit la marquise. Vous n'avez donc rien lu ?

— La Zambinella, repris-je en souriant, s'était effrontément croisé les jambes, et agitait en badinant celle qui se trouvait dessus, attitude de duchesse, qui allait bien à son genre de beauté capricieuse et pleine d'une certaine mollesse engageante. Elle avait quitté ses habits de théâtre, et portait un corps qui dessinait une taille svelte et que faisaient valoir des paniers et une robe de satin brodée de fleurs bleues. Sa poitrine, dont une dentelle dissimulait les trésors par un luxe de coquetterie, étincelait de blancheur. Coiffée à peu près comme se coiffait madame du Barry [1], sa figure, quoique surchargée d'un large bonnet, n'en paraissait que plus mignonne, et la poudre lui seyait bien. La voir ainsi, c'était l'adorer. Elle sourit gracieusement au sculpteur. Sarrasine, tout mécontent de ne pouvoir lui parler que devant témoins, s'assit poliment auprès d'elle, et l'entretint de musique en la louant sur son prodigieux talent ; mais sa voix tremblait d'amour, de crainte et d'espérance. "Que craignez-vous ? lui dit Vitagliani, le chanteur le plus célèbre de la troupe. Allez, vous n'avez pas un seul rival à craindre ici." Le ténor sourit silencieusement.

---

1. Jeanne Bécu, devenue par mariage comtesse Du Barry (ou « du Barry ») (1743-1793), autre célèbre favorite de Louis XV.

Ce sourire se répéta sur les lèvres de tous les convives, dont l'attention avait une certaine malice cachée dont ne devait pas s'apercevoir un amoureux. Cette publicité fut comme un coup de poignard que Sarrasine aurait soudainement reçu dans le cœur. Quoique doué d'une certaine force de caractère, et bien qu'aucune circonstance ne dût influer sur son amour, il n'avait peut-être pas encore songé que Zambinella était presque une courtisane, et qu'il ne pouvait pas avoir tout à la fois les jouissances pures qui rendent l'amour d'une jeune fille chose si délicieuse, et les emportements fougueux par lesquels une femme de théâtre fait acheter les trésors de sa passion. Il réfléchit et se résigna. Le souper fut servi. Sarrasine et la Zambinella se mirent sans cérémonie à côté l'un de l'autre. Pendant la moitié du festin, les artistes gardèrent quelque mesure, et le sculpteur put causer avec la cantatrice. Il lui trouva de l'esprit, de la finesse ; mais elle était d'une ignorance surprenante, et se montra faible et superstitieuse. La délicatesse de ses organes se reproduisait dans son entendement. Quand Vitagliani déboucha la première bouteille de vin de Champagne, Sarrasine lut dans les yeux de sa voisine une crainte assez vive de la petite détonation produite par le dégagement du gaz. Le tressaillement involontaire de cette organisation féminine fut interprété par l'amoureux artiste comme l'indice d'une excessive sensibilité. Cette faiblesse charma le Français. Il entre tant de protection dans l'amour d'un homme ! "Vous disposerez de ma puissance comme d'un bouclier !" Cette phrase n'est-elle pas écrite au fond de toutes les déclarations d'amour ? Sarrasine, trop passionné pour débiter des galanteries à la belle Italienne, était, comme tous les amants, tour à tour grave, rieur ou recueilli. Quoiqu'il parût écouter les convives, il n'entendait pas un mot de ce qu'ils disaient, tant il s'adonnait au plaisir de se trouver près d'elle, de lui effleurer la main, de la servir. Il nageait dans une joie secrète. Malgré l'éloquence de quelques regards mutuels, il fut étonné de la réserve dans laquelle la Zambinella se tint avec lui. Elle avait bien commencé la première à lui presser le pied et à l'agacer avec la malice d'une femme libre et amoureuse ; mais soudain elle s'était enveloppée dans une modestie de jeune fille, après avoir entendu raconter par Sarrasine un trait qui peignit l'excessive violence de son caractère. Quand le souper devint une orgie, les convives se mirent à chanter, inspirés par le peralta et le pedro ximenès[1]. Ce furent des duos ravissants, des airs de la Calabre[2], des seguidilles[3] espagnoles, des canzonettes[4] napolitaines. L'ivresse était dans tous les yeux, dans la musique, dans les cœurs et dans les voix. Il déborda tout à coup une vivacité enchanteresse, un abandon cordial, une bonhomie italienne dont rien ne peut donner l'idée à ceux qui ne connaissent que les assemblées de Paris, les raouts de Londres ou les cercles de Vienne. Les plaisanteries et les mots d'amour se croisaient, comme des balles dans une bataille, à travers les rires, les impiétés, les invocations à la sainte Vierge ou *al Bambino*[5]. L'un se coucha sur un sofa, et se mit à dormir. Une jeune fille écoutait une déclaration sans savoir qu'elle répandait du vin de Xérès[6] sur la

---

1. Vins espagnols particulièrement capiteux. Peralta est une petite ville à côté de Pampelune. **2.** Région formant l'extrémité méridionale de la péninsule italienne. **3.** Ou « séguedilles » : chansons espagnoles. **4.** Forme francisée de « *canzonette* » : petites chansons italiennes. **5.** « À l'enfant Jésus ». **6.** À cet endroit, le texte de 1844 était : « elle répandait du xérès » ; le texte ici proposé intègre l'unique correction manuscrite de Balzac sur son exemplaire personnel (voir Note sur le texte de la présente édition).

nappe. Au milieu de ce désordre, la Zambinella, comme frappée de terreur, resta pensive. Elle refusa de boire, mangea peut-être un peu trop ; mais la gourmandise est, dit-on, une grâce chez les femmes. En admirant la pudeur de sa maîtresse, Sarrasine fit de sérieuses réflexions pour l'avenir. "Elle veut sans doute être épousée", se dit-il. Alors il s'abandonna aux délices de ce mariage. Sa vie entière ne lui semblait pas assez longue pour épuiser la source de bonheur qu'il trouvait au fond de son âme. Vitagliani, son voisin, lui versa si souvent à boire que, vers les trois heures du matin, sans être complètement ivre, Sarrasine se trouva sans force contre son délire. Dans un moment de fougue, il emporta cette femme en se sauvant dans une espèce de boudoir qui communiquait au salon, et sur la porte duquel il avait plus d'une fois tourné les yeux. L'Italienne était armée d'un poignard. "Si tu approches, dit-elle, je serai forcée de te plonger cette arme dans le cœur. Va ! tu me mépriserais. J'ai conçu trop de respect pour ton caractère pour me livrer ainsi. Je ne veux pas déchoir du sentiment que tu m'accordes. — Ah ! ah ! dit Sarrasine, c'est un mauvais moyen pour éteindre une passion que de l'exciter. Es-tu donc déjà corrompue à ce point que, vieille de cœur, tu agirais comme une jeune courtisane, qui aiguise les émotions dont elle fait commerce ? — Mais c'est aujourd'hui vendredi [1]", répondit-elle effrayée de la violence du Français. Sarrasine, qui n'était pas dévot, se prit à rire. La Zambinella bondit comme un jeune chevreuil et s'élança dans la salle du festin. Quand Sarrasine y apparut courant après elle, il fut accueilli par un rire infernal. Il vit la Zambinella

---

1. En souvenir du Vendredi saint, il est d'usage de respecter l'abstinence chaque vendredi de l'année.

évanouie sur un sofa. Elle était pâle et comme épuisée par l'effort extraordinaire qu'elle venait de faire. Quoique Sarrasine sût peu d'italien, il entendit sa maîtresse disant à voix basse à Vitagliani : "Mais il me tuera !" Cette scène étrange rendit le sculpteur tout confus. La raison lui revint. Il resta d'abord immobile ; puis il retrouva la parole, s'assit auprès de sa maîtresse et protesta de son respect. Il trouva la force de donner le change à sa passion en disant à cette femme les discours les plus exaltés ; et, pour peindre son amour, il déploya les trésors de cette éloquence magique, officieux interprète que les femmes refusent rarement de croire. Au moment où les premières lueurs du matin surprirent les convives, une femme proposa d'aller à Frascati. Tous accueillirent par de vives acclamations l'idée de passer la journée à la villa Ludovisi[1]. Vitagliani descendit pour louer des voitures. Sarrasine eut le bonheur de conduire la Zambinella dans un phaéton[2]. Une fois sortis de Rome, la gaieté, un moment réprimée par les combats que chacun avait livrés au sommeil, se réveilla soudain. Hommes et femmes, tous paraissaient habitués à cette vie étrange, à ces plaisirs continus, à cet entraînement d'artiste qui fait de la vie une fête perpétuelle où l'on rit sans arrière-pensées. La compagne du sculpteur était la seule qui parût abattue. "Êtes-vous malade ? lui dit Sarrasine. Aimeriez-vous mieux rentrer chez vous ? — Je ne suis pas assez forte pour supporter tous ces excès, répondit-elle. J'ai besoin de grands ménagements ; mais, près de vous, je me sens si bien ! Sans vous,

---

1. Frascati est une petite ville près de Rome ; le cardinal Ludovisi y avait fait construire, au XVIIᵉ siècle, une magnifique villa, dans un grand parc. Stendhal l'a décrite. Elle est aujourd'hui détruite. 2. Petite voiture à quatre places, légère et découverte, très haute sur roues.

je ne serais pas restée à ce souper ; une nuit passée
me fait perdre toute ma fraîcheur. — Vous êtes si
délicate ! reprit Sarrasine en contemplant les traits
mignons de cette charmante créature. — Les orgies
m'abîment la voix. — Maintenant que nous sommes
seuls, s'écria l'artiste, et que vous n'avez plus à
craindre l'effervescence de ma passion, dites-moi
que vous m'aimez. — Pourquoi ? répliqua-t-elle, à
quoi bon ? Je vous ai semblé jolie. Mais vous êtes
français, et votre sentiment passera. Oh ! vous ne
m'aimeriez pas comme je voudrais être aimée.
— Comment ! — Sans but de passion vulgaire, purement. J'abhorre les hommes encore plus peut-être
que je ne hais les femmes. J'ai besoin de me réfugier
dans l'amitié. Le monde est désert pour moi. Je suis
une créature maudite, condamnée à comprendre le
bonheur, à le sentir, à le désirer, et, comme tant
d'autres, forcée à le voir me fuir à toute heure. Sou-
venez-vous, seigneur, que je ne vous aurai pas
trompé. Je vous défends de m'aimer. Je puis être un
ami dévoué pour vous, car j'admire votre force et
votre caractère. J'ai besoin d'un frère, d'un protecteur. Soyez tout cela pour moi, mais rien de plus.
— Ne pas vous aimer ! s'écria Sarrasine ; mais,
chère ange, tu es ma vie, mon bonheur ! — Si je
disais un mot vous me repousseriez avec horreur.
— Coquette ! rien ne peut m'effrayer. Dis-moi que
tu me coûteras l'avenir, que dans deux mois je mour-
rai, que je serai damné pour t'avoir seulement
embrassée." Il l'embrassa malgré les efforts que fit
la Zambinella pour se soustraire à ce baiser passionné. "Dis-moi que tu es un démon, qu'il te faut
ma fortune, mon nom, toute ma célébrité ! Veux-tu
que je ne sois pas sculpteur ? Parle. — Si je n'étais
pas une femme ? demanda timidement la Zambinella
d'une voix argentine et douce. — La bonne plaisan-

terie ! s'écria Sarrasine. Crois-tu pouvoir tromper l'œil d'un artiste ? N'ai-je pas, depuis dix jours, dévoré, scruté, admiré tes perfections ? Une femme seule peut avoir ce bras rond et moelleux, ces contours élégants. Ah ! tu veux des compliments !" Elle sourit tristement, et dit en murmurant : "Fatale beauté !" Elle leva les yeux au ciel. En ce moment son regard eut je ne sais quelle expression d'horreur si puissante, si vive, que Sarrasine en tressaillit. "Seigneur Français, reprit-elle, oubliez à jamais un instant de folie. Je vous estime ; mais, quant à de l'amour, ne m'en demandez pas ; ce sentiment est étouffé dans mon cœur. Je n'ai pas de cœur ! s'écria-t-elle en pleurant. Le théâtre sur lequel vous m'avez vue, ces applaudissements, cette musique, cette gloire, à laquelle on m'a condamnée, voilà ma vie, je n'en ai pas d'autre. Dans quelques heures vous ne me verrez plus des mêmes yeux, la femme que vous aimez sera morte." Le sculpteur ne répondit pas. Il était la proie d'une sourde rage qui lui pressait le cœur. Il ne pouvait que regarder cette femme extraordinaire avec des yeux enflammés qui brûlaient. Cette voix empreinte de faiblesse, l'attitude, les manières et les gestes de Zambinella, marqués de tristesse, de mélancolie et de découragement, réveillaient dans son âme toutes les richesses de la passion. Chaque parole était un aiguillon. En ce moment, ils étaient arrivés à Frascati. Quand l'artiste tendit les bras à sa maîtresse pour l'aider à descendre, il la sentit toute frissonnante. "Qu'avez-vous ? Vous me feriez mourir, s'écria-t-il en la voyant pâlir, si vous aviez la moindre douleur dont je fusse la cause même innocente. — Un serpent ! dit-elle en montrant une couleuvre qui se glissait le long d'un fossé. J'ai peur de ces odieuses bêtes." Sarrasine écrasa la tête de la couleuvre d'un coup de pied. "Comment avez-vous assez de courage ! reprit la Zambinella en contemplant avec un effroi visible le reptile mort. — Eh bien, dit l'artiste en souriant, oserez-vous bien prétendre que vous n'êtes pas femme ?" Ils rejoignirent leurs compagnons et se promenèrent dans les bois de la villa Ludovisi, qui appartenait alors au cardinal Cicognara. Cette matinée s'écoula trop vite pour l'amoureux sculpteur, mais elle fut remplie par une foule d'incidents qui lui dévoilèrent la coquetterie, la faiblesse, la mignardise[1] de cette âme molle et sans énergie. C'était la femme avec ses peurs soudaines, ses caprices sans raison, ses troubles instinctifs, ses audaces sans cause, ses bravades et sa délicieuse finesse de sentiment. Il y eut un moment où, s'aventurant dans la campagne, la petite troupe des joyeux chanteurs vit de loin quelques hommes armés jusqu'aux dents, et dont le costume n'avait rien de rassurant. À ce mot : "Voici des brigands", chacun doubla le pas pour se mettre à l'abri dans l'enceinte de la villa du cardinal. En cet instant critique, Sarrasine s'aperçut à la pâleur de la Zambinella qu'elle n'avait plus assez de force pour marcher ; il la prit dans ses bras et la porta, pendant quelque temps, en courant. Quand il se fut rapproché d'une vigne voisine, il mit sa maîtresse à terre. "Expliquez-moi, lui dit-il, comment cette extrême faiblesse qui, chez toute autre femme, serait hideuse, me déplairait, et dont la moindre preuve suffirait presque pour éteindre mon amour, en vous me plaît, me charme ? – Oh ! combien je vous aime ! reprit-il. Tous vos défauts, vos terreurs, vos petitesses ajoutent je ne sais quelle grâce à votre âme. Je

---

1. Grâce délicate, mais maniérée.

sens que je détesterais une femme forte, une Sapho [1], courageuse, pleine d'énergie, de passion. Ô frêle et douce créature ! comment peux-tu être autrement ? Cette voix d'ange, cette voix délicate, eût été un contresens si elle fût sortie d'un corps autre que le tien. — Je ne puis, dit-elle, vous donner aucun espoir. Cessez de me parler ainsi, car l'on se moquerait de vous. Il m'est impossible de vous interdire l'entrée du théâtre ; mais si vous m'aimez ou si vous êtes sage, vous n'y viendrez plus. Écoutez, monsieur, dit-elle d'une voix grave. — Oh ! tais-toi, dit l'artiste enivré. Les obstacles attisent l'amour dans mon cœur." La Zambinella resta dans une attitude gracieuse et modeste ; mais elle se tut, comme si une pensée terrible lui eût révélé quelque malheur. Quand il fallut revenir à Rome, elle monta dans une berline à quatre places, en ordonnant au sculpteur, d'un air impérieusement cruel, d'y retourner seul avec le phaéton. Pendant le chemin, Sarrasine résolut d'enlever la Zambinella. Il passa toute la journée occupé à former des plans plus extravagants les uns que les autres. À la nuit tombante, au moment où il sortit pour aller demander à quelques personnes où était situé le palais habité par sa maîtresse, il rencontra l'un de ses camarades sur le seuil de la porte. "Mon cher, lui dit ce dernier, je suis chargé par notre ambassadeur de t'inviter à venir ce soir chez lui. Il donne un concert magnifique, et quand tu sauras que Zambinella y sera... — Zambinella ! s'écria Sarrasine en délire à ce nom, j'en suis fou ! — Tu es comme tout le monde, lui répondit son camarade. — Mais si vous êtes mes amis, toi, Vien, Lauther-

---

1. Poétesse grecque (VIIᵉ-VIᵉ siècles av. J.-C.), de l'île de Lesbos, dont le goût pour les femmes donna un nom à l'homosexualité féminine. Ici, le personnage fait sans doute allusion à la réputation de courage, de fermeté et d'autorité de cette femme d'exception.

bourg et Allegrain[1], vous me prêterez votre assistance pour un coup de main après la fête, demanda Sarrasine. — Il n'y a pas de cardinal à tuer, pas de... — Non, non, dit Sarrasine, je ne vous demande rien que d'honnêtes gens ne puissent faire." En peu de temps le sculpteur disposa tout pour le succès de son entreprise. Il arriva l'un des derniers chez l'ambassadeur, mais il y vint dans une voiture de voyage attelée de chevaux vigoureux menés par l'un des plus entreprenants *vetturini*[2] de Rome. Le palais de l'ambassadeur étant plein de monde, ce ne fut pas sans peine que le sculpteur, inconnu à tous les assistants, parvint au salon où dans ce moment Zambinella chantait. "C'est sans doute par égard pour les cardinaux, les évêques et les abbés qui sont ici, demanda Sarrasine, qu'*elle* est habillée en homme, qu'elle a une bourse derrière la tête, les cheveux crêpés et une épée au côté ? — Elle ! Qui elle ? répondit le vieux seigneur auquel s'adressait Sarrasine. — La Zambinella. — La Zambinella ? reprit le prince romain. Vous moquez-vous ? D'où venez-vous ? Est-il jamais monté de femme sur les théâtres de Rome ? Et ne savez-vous pas par quelles créatures les rôles de femme sont remplis dans les États du pape ? C'est moi, monsieur, qui ai doté Zambinella de sa voix. J'ai tout payé à ce drôle-là, même son maître à chanter[3]. Eh bien, il a si peu de reconnaissance du service que je lui ai rendu, qu'il n'a jamais voulu remettre les pieds chez moi. Et cependant, s'il fait fortune, il

---

1. Jacques-Philippe de Lautherbourg (1742-1812) était peintre paysagiste, Christophe-Gabriel Allegrain (1710-1795), sculpteur. Comme Vien et Bouchardon, ces artistes sont cités par Diderot dans son *Salon de 1767* (*cf. supra*, p. 44, n. 1).   **2.** « Cochers ».   **3.** Le « tout » renvoie à l'opération médicale, et aux soins longs et coûteux qui devaient la suivre dans la mesure du possible.

me la devra tout entière." Le prince Chigi aurait pu parler, certes, longtemps, Sarrasine ne l'écoutait pas. Une affreuse vérité avait pénétré dans son âme. Il était frappé comme d'un coup de foudre. Il resta immobile, les yeux attachés sur le prétendu chanteur. Son regard flamboyant eut une sorte d'influence magnétique sur Zambinella, car le *musico* finit par détourner subitement la vue vers Sarrasine, et alors sa voix céleste s'altéra. Il trembla ! Un murmure involontaire échappé à l'assemblée, qu'il tenait comme attachée à ses lèvres, acheva de le troubler ; il s'assit, et discontinua[1] son air. Le cardinal Cicognara, qui avait épié du coin de l'œil la direction que prit le regard de son protégé, aperçut alors le Français ; il se pencha vers un de ses aides de camp ecclésiastiques, et parut demander le nom du sculpteur. Quand il eut obtenu la réponse qu'il désirait, il contempla fort attentivement l'artiste, et donna des ordres à un abbé, qui disparut avec prestesse. Cependant Zambinella, s'étant remis, recommença le morceau qu'il avait interrompu si capricieusement ; mais il l'exécuta mal, et refusa, malgré toutes les instances qui lui furent faites, de chanter autre chose. Ce fut la première fois qu'il exerça cette tyrannie capricieuse qui, plus tard, ne le rendit pas moins célèbre que son talent et son immense fortune, due, dit-on, non moins à sa voix qu'à sa beauté. "C'est une femme, dit Sarrasine en se croyant seul. Il y a là-dessous quelque intrigue secrète. Le cardinal Cicognara trompe le pape et toute la ville de Rome !" Aussitôt le sculpteur sortit du salon, rassembla ses amis, et les embusqua dans la cour du palais. Quand Zambinella se fut assuré du départ de Sarrasine, il parut recouvrer quelque tranquillité.

---

1. Interrompre.

Vers minuit, après avoir erré dans les salons, en homme qui cherche un ennemi, le *musico* quitta l'assemblée. Au moment où il franchissait la porte du palais, il fut adroitement saisi par des hommes qui le bâillonnèrent avec un mouchoir et le mirent dans la voiture louée par Sarrasine. Glacé d'horreur, Zambinella resta dans un coin sans oser faire un mouvement. Il voyait devant lui la figure terrible de l'artiste qui gardait un silence de mort. Le trajet fut court. Zambinella, enlevé par Sarrasine, se trouva bientôt dans un atelier sombre et nu. Le chanteur, à moitié mort, demeura sur une chaise, sans oser regarder une statue de femme, dans laquelle il reconnut ses traits. Il ne proféra pas une parole, mais ses dents claquaient. Il était transi de peur. Sarrasine se promenait à grands pas. Tout à coup il s'arrêta devant Zambinella. "Dis-moi la vérité, demanda-t-il d'une voix sourde et altérée. Tu es une femme ? Le cardinal Cicognara..." Zambinella tomba sur ses genoux, et ne répondit qu'en baissant la tête. "Ah ! tu es une femme, s'écria l'artiste en délire ; car même un..." Il n'acheva pas. "Non, reprit-il, *il* n'aurait pas tant de bassesse. — Ah ! ne me tuez pas, s'écria Zambinella fondant en larmes. Je n'ai consenti à vous tromper que pour plaire à mes camarades, qui voulaient rire. — Rire ! répondit le sculpteur d'une voix qui eut un éclat infernal. Rire, rire ! Tu as osé te jouer d'une passion d'homme, toi ? — Oh ! grâce ! répliqua Zambinella. — Je devrais te faire mourir ! cria Sarrasine en tirant son épée par un mouvement de violence. Mais, reprit-il avec un dédain froid, en fouillant ton être avec un poignard, y trouverais-je un sentiment à éteindre, une vengeance à satisfaire ? Tu n'es rien. Homme ou femme, je te tuerais ! mais..." Sarrasine fit un geste de dégoût, qui l'obligea de détourner sa tête, et alors il regarda la statue. "Et c'est une illusion !" s'écria-t-il. Puis se tournant vers Zambinella : "Un cœur de femme était pour moi un asile, une patrie. As-tu des sœurs qui te ressemblent ? Non. Eh bien, meurs ! Mais non, tu vivras. Te laisser la vie, n'est-ce pas te vouer à quelque chose de pire que la mort ? Ce n'est ni mon sang ni mon existence que je regrette, mais l'avenir et ma fortune de cœur. Ta main débile a renversé mon bonheur. Quelle espérance puis-je te ravir pour toutes celles que tu as flétries ? Tu m'as ravalé jusqu'à toi. *Aimer, être aimé !* sont désormais des mots vides de sens pour moi, comme pour toi. Sans cesse je penserai à cette femme imaginaire en voyant une femme réelle." Il montra la statue par un geste de désespoir. "J'aurai toujours dans le souvenir une harpie [1] céleste qui viendra enfoncer ses griffes dans tous mes sentiments d'homme, et qui signera toutes les autres femmes d'un cachet d'imperfection ! Monstre ! toi qui ne peux donner la vie à rien, tu m'as dépeuplé la terre de toutes ses femmes." Sarrasine s'assit en face du chanteur épouvanté. Deux grosses larmes sortirent de ses yeux secs, roulèrent le long de ses joues mâles et tombèrent à terre : deux larmes de rage, deux larmes âcres et brûlantes. "Plus d'amour ! je suis mort à tout plaisir, à toutes les émotions humaines." À ces mots, il saisit un marteau et le lança sur la statue avec une force si extravagante qu'il la manqua. Il crut avoir détruit ce monument de sa folie, et alors il reprit son épée et la brandit pour tuer le chanteur. Zambinella jeta des cris perçants. En ce moment trois hommes entrèrent, et soudain le sculpteur tomba percé de trois coups de stylet. "De la part du cardinal Cicognara, dit l'un

---

1. Dans la mythologie grecque, monstre terrible, à tête de femme et à corps d'oiseau, à griffes acérées.

d'eux. — C'est un bienfait digne d'un chrétien",
répondit le Français en expirant. Ces sombres émis-
saires apprirent à Zambinella l'inquiétude de son
protecteur, qui attendait à la porte dans une voiture
fermée, afin de pouvoir l'emmener aussitôt qu'il
serait délivré.

— Mais, me dit madame de Rochefide, quel rapport existe-t-il entre cette histoire et le petit vieillard
que nous avons vu chez les Lanty ?

— Madame, le cardinal Cicognara se rendit
maître de la statue de Zambinella et la fit exécuter
en marbre, elle est aujourd'hui dans le musée Albani [1]. C'est là qu'en 1791 la famille Lanty la retrouva,
et pria Vien de la copier. Le portrait qui vous a
montré Zambinella à vingt ans, un instant après
l'avoir vu centenaire, a servi plus tard pour l'*Endymion* de Girodet [2], vous avez pu en reconnaître le
type dans l'Adonis.

— Mais ce ou cette Zambinella ?

— Ne saurait être, madame, que le grand-oncle
de Marianina. Vous devez concevoir maintenant
l'intérêt que madame de Lanty peut avoir à cacher
la source d'une fortune qui provient...

— Assez ! » dit-elle en me faisant un geste impérieux.

Nous restâmes pendant un moment plongés dans
le plus profond silence.

« Hé bien ? lui dis-je.

— Ah ! » s'écria-t-elle en se levant et se prome-

----

1. Le cardinal Albani fit élever à la fin du XVIIIe siècle une
magnifique villa près de Rome où il collectionna les chefs-d'œuvre
de la statuaire antique, conseillé par l'archéologue et historien de
l'art allemand Johann Winckelmann (1717-1768).   2. Anne
Louis Girodet (1767-1824), un des peintres préférés de Balzac,
élève de David, est un des artistes les plus représentatifs du style
néoclassique de son temps. Il séjourna cinq ans en Italie. Son *Sommeil d'Endymion* date de 1791.

*« Le portrait... a servi plus tard pour l'*Endymion *de Girodet... »* Girodet, *Le Sommeil d'Endymion.* Musée du Louvre, Paris.

nant à grands pas dans la chambre. Elle vint me regarder, et me dit d'une voix altérée : « Vous m'avez dégoûtée de la vie et des passions pour long-temps. Au monstre près, tous les sentiments humains ne se dénouent-ils pas ainsi, par d'atroces décep-tions ? Mères, des enfants nous assassinent ou par leur mauvaise conduite ou par leur froideur. Épouses, nous sommes trahies. Amantes, nous sommes délaissées, abandonnées. L'amitié ! existe-t-elle ? Demain je me ferais dévote si je ne savais pouvoir rester comme un roc inaccessible au milieu des orages de la vie. Si l'avenir du chrétien est encore une illusion, au moins elle ne se détruit qu'après la mort. Laissez-moi seule.

— Ah ! lui dis-je, vous savez punir.

— Aurais-je tort ?

— Oui, répondis-je avec une sorte de courage. En achevant cette histoire, assez connue en Italie, je puis vous donner une haute idée des progrès faits par la civilisation actuelle. On n'y fait plus de ces malheureuses créatures[1].

— Paris, dit-elle, est une terre bien hospitalière ; il accueille tout, et les fortunes honteuses, et les for-tunes ensanglantées. Le crime et l'infamie y ont droit d'asile, y rencontrent des sympathies ; la vertu seule y est sans autels. Oui, les âmes pures ont une patrie dans le ciel ! Personne ne m'aura connue ! J'en suis fière. »

Et la marquise resta pensive.

Paris, novembre 1830.

---

1. Voir Annexe.

REPÈRES BIOGRAPHIQUES

1799 (20 mai) : naissance à Tours d'Honoré ; son père a 53 ans, sa mère 21. Il est aussitôt mis en nourrice.

1817 : Honoré suit des cours de droit et est petit clerc chez l'avoué Guillonnet-Merville.

1822 : début de la liaison avec Mme de Berny, de vingt-deux ans son aînée ; Honoré publie ses premiers romans, sous pseudonymes et parfois en collaboration : *L'Héritière de Birague, Le Centenaire*, etc.

1824 : début de l'activité journalistique.

1826-1828 : Honoré se fait éditeur et imprimeur ; c'est la ruine : il se retrouve endetté pour le reste de sa vie.

1829 : Balzac publie, pour la première fois sous son nom d'Honoré Balzac, les premiers textes de ce qui deviendra *La Comédie humaine* : *Le Dernier Chouan*, la *Physiologie du mariage* ; il rédige ses premières « Scènes de la vie privée ».

1830 : première signature « De Balzac » (*El Verdugo*, dans le journal *La Mode*) ; publication de ***Sarrasine*** en revue.

1831 : *La Peau de chagrin* est le très gros succès de l'année.

1832 : Honoré reçoit d'Ukraine une première lettre de son admiratrice lointaine : la comtesse Hanska. C'est le début de sa passion épistolaire, qui fut ponctuée de quelques rencontres (1833, 1835, 1843), avant de devenir une liaison régulière en 1845 et de se conclure par un mariage le 14 mars 1850, non sans aléas et désillusions de tous ordres.

1834 : Balzac « invente » le retour des personnages qui établit l'unité de son univers romanesque, et divise son œuvre en trois grandes séries : *Études de mœurs, Études philosophiques, Études analytiques* ; les *Études de mœurs* se décomposent en « scènes » (« de la vie parisienne », « de la vie de campagne », etc.).

1841 : contrat pour l'édition intégrale de *La Comédie humaine*.

1845 : Balzac établit un catalogue des ouvrages que contiendra *La Comédie humaine* : 125 ouvrages, dont 40 restent à faire.

1847 : Balzac semble brisé, physiquement et moralement : c'est l'année des derniers grands chefs-d'œuvre : *La Cousine Bette, Le Cousin Pons*, fin de *Splendeurs et Misères des courtisanes*.

1850 : il épouse Mme Hanska en Russie, où il était allé fuir la révolution de 1848 ; ils rentrent ensemble à Paris, où il meurt le 18 août.

INDICATIONS BIBLIOGRAPHIQUES

Éditions de Sarrasine

Sarrasine, édition critique de Pierre Citron, *in* Balzac, *La Comédie humaine*, édition dirigée par Pierre-Georges Castex, Paris, Gallimard, « Bibliothèque de la Pléiade », 12 volumes, 1976-1981 – *Sarrasine* est au tome 6.

Sarrasine [avec *Gambara* et *Massimilla Doni*], édition de Pierre Brunel, Paris, Gallimard, coll. « Folio », 1995.

Sur Sarrasine

Balzac et la peinture [catalogue de l'exposition du Musée des Beaux-Arts de Tours (29 mai-30 août 1999)], Publications du Musée des Beaux-Arts de Tours et Farrago, 1999.

BARBÉRIS, Pierre : « À propos du *S/Z* de Roland Barthes. Deux pas en avant, un pas en arrière ? », *L'Année balzacienne 1971*, Paris, pp. 109-123.

BARON, Anne-Marie : *Balzac ou l'auguste mensonge*, Paris, Nathan, 1998.

BARTHES, Roland : *S/Z* [1970], *in* Barthes, *Œuvres complètes*, édition d'Éric Marty, Paris, Seuil, 3 volumes, 1993-1995 – *S/Z* est au tome 2.

BOROWITZ, Helen O. : « Balzac's *Sarrasine* : the Sculptor as Narcissus », *Nineteenth-Century French Studies*, Fredonia, 1977, vol. 5 (nᵒˢ 3 et 4), pp. 171-185.

BRÉMOND, Claude, et PAVEL, Thomas : « *Sarrasine* dans l'œuvre de Balzac », *in* Brémond et Pavel, *De Barthes à Balzac. Fictions d'un critique, critiques d'une fiction*, Paris, Albin Michel, 1998, pp. 183-265.

BRUNEL, Pierre : « Orientations européennes dans *Sarrasine* », *L'Année balzacienne*, Paris, 1992, nᵒ 13, pp. 73-85.

CHOLLET, Roland : *Balzac journaliste. Le tournant de 1830*, Paris, Klincksieck, 1983.

CITRON, Pierre : « Note » sur *Sarrasine, L'Année balzacienne 1966*, Paris, pp. 369-370.

CITRON, Pierre : « Interprétation de *Sarrasine* », *L'Année balzacienne 1972*, Paris, pp. 81-95.

CITRON, Pierre : *Dans Balzac*, Paris, Seuil, 1986.

DAVID, Henri : « Balzac italianisant. Autour de *Sarrasine* », *Revue de littérature comparée*, Paris, 1933, pp. 457-464.

LAFORGUE, Pierre : « *Sarrasine*, ou de la castrature en 1830 », *in* Laforgue, *L'Éros romantique. Représentations de l'amour en 1830*, Paris, PUF, 1998, pp. 128-146.

MOLINO, Jean : « Balzac et la technique du portrait. Autour de *Sarrasine* », *in Lettres et réalités. Mélanges offerts à Henri Coulet*, Aix-en-Provence, Publications de l'Université, 1988, pp. 247-283.

MOZET, Nicole : *Balzac au pluriel*, Paris, PUF, 1990.

PAVEL, Thomas : « Allusion et transparence. Sur "le code culturel" de *Sarrasine* », *Travaux de littérature*, Paris, 1996, vol. IX, pp. 295-311.

REBOUL, Jean : « *Sarrasine* ou la castration personnifiée », *Cahiers pour l'analyse*, Paris, 1967, vol. VII.

Rousset, Jean : « La double entrée selon Balzac », *in* J.-Cl. Mathieu (éd.), *Territoires de l'imaginaire. Pour Jean-Pierre Richard*, Paris, Seuil, 1986, pp. 157-168.

Serres, Michel : *L'Hermaphrodite. Sarrasine sculpteur* [1987], *in* Balzac, *Sarrasine*, Paris, Garnier-Flammarion, 1989, pp. 69-175 [le texte de Balzac est donné sans notes, ni aucun appareil critique de présentation].

Seznec, Jean : « Diderot et *Sarrasine* », *Diderot Studies*, Genève, 1963, vol. IV, pp. 237-245.

Vernier, France : « Le corps créateur ou l'artiste contre la nature », *Romantisme*, Paris, 1996, n° 91, pp. 5-17.

ANNEXE

LES CASTRATS

Dans sa *Première Épître aux Corinthiens* (XIV, 34), saint Paul avait catégoriquement déclaré : « Que les femmes se taisent dans les églises ! » Telle est l'origine de la coutume qui voulut que le Vatican utilisât des castrats pour remplacer les sopranos ou altos dans les chœurs de la chapelle Sixtine, le pape ayant formellement autorisé leur emploi en 1589. Mais ces chanteurs d'un nouveau genre allaient très vite s'imposer également à l'opéra.

L'usage de la castration (orchidectomie) fut importé d'Orient par l'intermédiaire de l'Espagne, naguère pays mozarabe. De jeunes garçons dotés d'une jolie voix, généralement issus de milieux très défavorisés, étaient pris en charge par quelques protecteurs qui payaient l'opération, puis les études. L'orchidectomie interrompait la croissance du larynx avant la mue. On procédait à une intervention sur les testicules (ligature du déférent testiculaire, ablation dans certains cas) qui avait pour résultat la cessation de la sécrétion de testostérone, hormone à laquelle on doit la croissance du larynx. L'orchidectomie privait de la faculté de procréer, puisque les testicules, atrophiés, ne sécrétaient plus de spermatozoïdes, mais laissait la possibilité de rapports sexuels, puisque le liquide séminal naît de la prostate. Du fait de l'opération – quand elle réussissait parfaitement, ce qui était loin d'être toujours le cas – la voix restait brillante, fraîche. Parmi les manifestations secondaires, on assistait à l'apparition de caractères pseudo-féminins, comme l'arrêt de la croissance de la barbe. Par la suite, soumis à des exercices vocaux assidus et rigoureux, le castrat acquérait une capacité pulmonaire d'exception, ayant des répercussions directes sur la longueur de la respiration et la puissance du son. Munis de telles possibilités, les meilleurs d'entre eux développèrent des techniques vocales, comme le chant sur le souffle (*sul fiato*), ou les passages de registres, qui influencèrent profondément l'écriture des musiciens.

Sensible aux réactions que la pratique soulevait de plus en plus dans les milieux éclairés (en particulier à Paris) pour des raisons humanitaires évidentes mais aussi pour des motifs esthétiques (à partir de Gluck, l'opéra prétend à la vérité et la crédibilité dramatiques, peu compatibles avec ces incarnations de l'artifice que sont les castrats), en 1769 le pape Clément XIV défendit la pratique de l'orchidectomie, sans pour autant exclure les castrats de sa chapelle, et les conservatoires continuèrent d'en former, pendant quelques années encore. Giovanni Battista Velluti (1780-1861) fut le dernier grand castrat représentatif : Rossini écrivit pour lui le rôle d'Arsace dans son opéra *Aureliano in Palmira*, en 1813 – son interprétation, trop ornée, lui déplut, d'ailleurs ; et en 1824 Meyerbeer lui confiait le rôle d'Armando dans *Il Crociato in Egitto*, mais c'était là, vraiment, la toute fin d'une époque. Le dernier castrat reconnu fut Alessandro Moreschi (1858-1922) : il subit l'opération, mais n'étudia pas le chant avec un castrat, mais avec le compositeur et organiste Rosati ; il fut membre de la chapelle Sixtine dès 1883, et laissa quelques enregistrements – en revanche, il n'apparut jamais sur scène. Ce n'est qu'en 1902 que Léon XIII signa l'ordonnance qui bannissait irrémédiablement les castrats de la chapelle pontificale.

Cinq témoignages

En 1722, l'Anglais Charles Burney, qui travaillait à une « histoire de la musique », assista, à Rome, à un duel musical entre Farinelli (Carlo Broschi, dit, 1705-1782), alors âgé de dix-sept ans, et l'un des trompettistes de l'orchestre. Tous deux rivalisaient à qui dépasserait l'autre en aigus, en éclat et en vélocité.

« À la fin, tous deux parurent épuisés et, de fait, le trompettiste, à bout de souffle, s'arrêta, pensant que son adversaire était aussi fatigué que lui et que ce serait un abandon mutuel. Mais Farinelli, avec un sourire devant la réaction de l'instrumentiste, montrant que tout cela n'avait été qu'un jeu pour lui, repartit d'un seul souffle avec une vigueur toute nouvelle. Non seulement il dépassa la note précédemment atteinte de façon éclatante, mais il entama ensuite toute une série de variations et d'ornements aussi rapides que difficiles, qui ne furent interrompus que par les acclamations du public. »

Charles Burney, *Musical Tours in Europe* (1773),
traduction d'É. Bordas.

En 1767, Rousseau, quoique adepte inconditionnel de la musique italienne, contre la française, réagit en humaniste engagé et progressiste, autant qu'en musicien.

« CASTRATO, *s. m.* : Musicien qu'on a privé, dans son enfance, des organes de la génération, pour lui conserver la voix aiguë qui chante la Partie appelée *Dessus* ou *Soprano*. Quelque peu de rapport qu'on aperçoive entre deux organes si différents, il est certain que la mutilation de l'un prévient et empêche dans l'autre cette mutation qui survient aux hommes à l'âge nubile, et qui baisse tout à coup leur voix d'une octave. Il se trouve, en Italie, des pères barbares qui, sacrifiant la Nature à la fortune, livrent leurs enfants à cette opération, pour le plaisir de gens voluptueux et cruels, qui osent rechercher le chant de ces malheureux. Laissons aux honnêtes femmes des grandes villes les rires modestes, l'air dédaigneux et les propos plaisants dont ils sont l'éternel objet ; mais faisons entendre, s'il se peut, la voix de la pudeur et de l'humanité qui crie et s'élève contre cet infâme usage, et que les princes qui l'encouragent par leurs recherches, rougissent une fois de nuire, en tant de façons, à la conservation de l'espèce humaine. Au reste, l'avantage de la voix se compense dans les *castrati* par beaucoup d'autres pertes. Ces hommes qui chantent si bien, mais sans chaleur et sans passions, font, sur le Théâtre, les plus maussades acteurs du monde ; ils perdent leur voix de très bonne heure et prennent un embonpoint dégoûtant[1]. Ils parlent et prononcent plus mal que les vrais hommes, et il y a même des lettres telles que l'*r*, qu'ils ne peuvent point prononcer du tout. [...]. »

ROUSSEAU, *Dictionnaire de musique* (1767).

---

1. Le vieillard balzacien est, au contraire, d'une maigreur affreuse.

En mars 1820, le peintre Géricault (1791-1824), se souvenant de ses propres impressions, écrit à son confrère et ami Horace Vernet (1789-1863) qui vient d'arriver à Rome.

« Vous devez être ravi des voix italiennes, les *castrati* surtout auront dû faire beaucoup d'impression sur vous. N'est-ce pas que leurs accents inspirent le ravissement et la pitié tout ensemble : quelle tristesse ! quelle douleur ! Ils semblent toujours gémir sur leur triste sort. »

GÉRICAULT [1].

*Quelques années plus tard, Stendhal rend hommage à « la délicieuse voix » de Velluti, et aux « sensations angéliques » qu'on lui doit. À propos de son interprétation de la romance de l'*Isolina, *de Morlacchi (1784-1841), il vante son art du chant sur le mode de la nostalgie.*

« Velluti remplit les deux premières mesures de *fioriture*, exprimant d'abord l'extrême timidité, et bientôt le profond découragement ; il prodigue les gammes descendantes par demi-tons, les *scale trillate*, et part tout à coup à la troisième mesure par un éclat de voix simple, fort, soutenu et, les jours où il jouit de tous ses moyens, *abandonné*. [...] Ce style peut sembler trop efféminé, et ne pas plaire d'abord ; mais tout amateur français de bonne foi conviendra que cette manière de chanter est pour lui une région

---

1. Je remercie M. Bruno Chenique de m'avoir communiqué cette lettre inédite, éditée par lui dans sa thèse *Les Cercles politiques de Géricault*, Paris I, 1998.

inconnue, une *terre étrangère*, dont les chants de
Paris ne lui avaient donné aucune idée. »

STENDHAL, *Vie de Rossini* (1823).

*Enfin, dans une page rédigée en 1843, d'ailleurs
très proche du récit de Balzac, George Sand dresse
le portrait suivant du célèbre Caffarelli (ou Caffariello : Gaetano Majorano, dit, 1710-1783), le grand
rival, et ami, de Farinelli, comme lui, élève de Por-
pora. Tout comme Balzac, George Sand n'a sans
doute jamais entendu ni vu de castrat elle-même, et
son écriture romanesque semble s'appuyer sur les
lieux communs désormais d'usage, entre mépris et
fascination, véhiculés par des témoignages indirects
de plus en plus incertains. Une époque était bien
révolue.*

« [...] Consuelo, qui avait vu et entendu à Venise,
dans son enfance, cet homme grêle, efféminé de
visage avec des manières rogues et une tournure bra-
vache, quoiqu'elle le retrouvât vieilli, fané, enlaidi,
frisé ridiculement et habillé avec le mauvais goût
d'un Céladon suranné, reconnut à l'instant même,
tant elle en avait gardé un profond souvenir, l'in-
comparable, l'inimitable sopraniste Majorano, dit
Caffarelli, ou plutôt Caffariello, comme on l'appelle
partout, excepté en France. Il était impossible de voir
un fat plus impertinent que ce bon Caffariello. Les
femmes l'avaient gâté par leurs engouements, les
acclamations du public lui avaient fait tourner la tête.
Il avait été si beau, ou, pour mieux dire, si joli dans
sa jeunesse, qu'il avait débuté en Italie dans les rôles
de femme ; maintenant qu'il tirait sur la cinquantaine
(il paraissait beaucoup plus vieux que son âge
comme la plupart des sopranistes), il était difficile

de se le représenter en Didon, ou en Galatée, sans avoir grande envie de rire. Pour racheter ce qu'il y avait de bizarre dans sa personne, il se donnait de grands airs de matamore, et à tout propos élevait sa voix claire et douce, sans pouvoir en changer la nature. Il y avait dans toutes ces affectations, et dans cette exubérance de vanité, un bon côté cependant. Caffariello sentait trop la supériorité de son talent pour être aimable ; mais aussi il sentait trop la dignité de son rôle d'artiste pour être courtisan. Il tenait tête follement et crânement aux plus importants personnages, aux souverains même, et pour cela il n'était point aimé des plats adulateurs, dont son impertinence faisait par trop la critique. Les vrais amis de l'art lui pardonnaient tout, à cause de son génie de virtuose ; et malgré toutes les lâchetés qu'on lui reprochait comme homme, on était bien forcé de reconnaître qu'il y avait dans sa vie des traits de courage et de générosité comme artiste. »

George SAND, *Consuelo. La comtesse de Rudolstadt.*
(1842-1844.)

Pour en savoir plus :

BARBIER, Patrick : *Histoire des castrats*, Paris, Grasset, 1989.

CELLETTI, Rodolfo : *Histoire du bel canto*, trad. franç., Paris, Fayard, 1987.

FERNANDEZ, Dominique : *Porporino ou les Mystères de Naples*, Paris, Grasset, 1974 [roman et non étude scientifique].

MAMY, Sylvie : *Les Castrats*, Paris, PUF, coll. « Que sais-je ? », 1998.

TABLE

Composition réalisée par NORD COMPO

Imprimé en France sur Presse Offset par

BRODARD & TAUPIN

GROUPE CPI

La Flèche (Sarthe).
N° d'imprimeur : 7401 – Dépôt légal Édit. 11587-05/2001
LIBRAIRIE GÉNÉRALE FRANÇAISE - 43, quai de Grenelle - 75015 Paris.

ISBN : 2 - 253 - 19305 - 4   31/9305/9